KB182805

코로나 이후에 변화될 부동산 투자 전략

코로나 이후에 변화될

부동산 투자 전략

2020년 6월 16일 초판 인쇄
2020년 6월 22일 초판 발행

지 은 이 | 윤승호
발 행 인 | 송상근
발 행 처 | 삼일인포마인
등록번호 | 1995. 6. 26. 제3-633호
주 소 | 서울특별시 용산구 한강대로 273 용산빌딩 4층
전 화 | 02)3489-3100
팩 스 | 02)3489-3141
가 격 | 18,000원

ISBN 978-89-5942-890-8 13320

코로나 이후에 변화될 부동산 투자 전략

윤승호 지음

SAMIL 삼일인포마인

코로나 19 시대를 맞이하여 전망해 본 부동산 투자 관련 견해

최근 중국에서 발생한 코로나 19(WHO나 정부에서 발표한 명칭은 COVID-19입니다만, 본서에서는 편의상 '코로나 19' 또는 '코로나'로 지칭)가 전 세계를 뒤흔들어 놓고 있습니다. 이 정도로 대규모의 전염병이 발생한 것은 대부분의 현생 인류가 겪어보지 못한 사태입니다. 이에 대한 경제 · 사회학자들의 반응과 예측은 대개 2가지인 것 같습니다.

첫째는 앞으로의 인류는 BC(Before Corona), AC(After Corona)의 2가지 시대로 구분될 정도로 모든 생활 방식에 큰 변화가 생기고 예전과 같은 생활로는 다시 돌아갈 수 없을 것이라는 예측이며, 둘째는 **결국 코로나는 어떤 식으로든 극복될 것이고 시간의 문제일 뿐 인류는 다시 예전대로의 생활로 돌아갈 것이라는 예측입니다.**

저자는 능력의 한계로 이 코로나 사태와 관련한 거창한 견해는 없습니다만, 그래도 개인적인 생각으로는 후자인 두 번째 예측이 좀 더 가능성이 높을 것으로 봅니다.

실제로 인류의 건강을 위협하는 요인 및 질병은 코로나 말고도 아직 여러 가지가 있습니다. 미세먼지, 환경오염, 후쿠시마 원자력 발전소, 에이즈, 각종 암, 독감 등이 그 예입니다. 심지어 패스트푸드 등 영양 과잉으로 인한 비만이 주요 사망 요인으로 지목되기도 합니다.

WHO의 2019년 발표에 따르면 비만으로 유발된 암 · 당뇨병 · 심혈관 질환 등으로 사망하는 사람이 전체 사망자의 73%에 달할 것이라고 경고하기도 했습니다. 하지만 어쨌거나 인류는 조금씩 위협 요인이나 질병들을 극복해 가면서 꾸준히 평균 수명을 늘려 왔습니다.

통계적으로 보면 1900년에 태어난 미국 어린이들의 평균 기대수명은 47세였으며, 2016년에 미국에서 태어난 어린이들의 평균 기대수명은 79세로 과거에 비해 크게 늘어났습니다.

한국인의 기대수명 역시 1990년에 71.7세, 2000년 76세, 2010년 80.2세, 2018년에는 82.7세로 꾸준히 증가해 왔습니다.[1] 전문가들에 따르면 인간의 기대수명은 계속 증가하여 100세 이상으로 늘어날 수 있다고도 합니다. 또한 코로나 사태로 인한 마스크 착용 및 개인

---

1) 허청원 기자, 「지난해 기대수명 증가 '멈춤'…통계 작성 이래 처음」, 중앙일보, 2019. 12. 4.

위생 강화 캠페인으로 인해 겨울철 독감 발생빈도가 예년에 비해 30% 가량 감소했다는 발표도 있었습니다.

따라서 필자는 인간의 평균 수명이 코로나 사태로 인해 수개월~수 년가량 감소하여 2015년이나 2010년 정도 시점의 평균 수명으로 잠시 줄어들 수는 있겠지만, 결국 의학, 과학, 경제, 위생환경의 발달로 인해 다시 평균 수명이 서서히 증가세로 돌아설 것이라고 생각합니다.

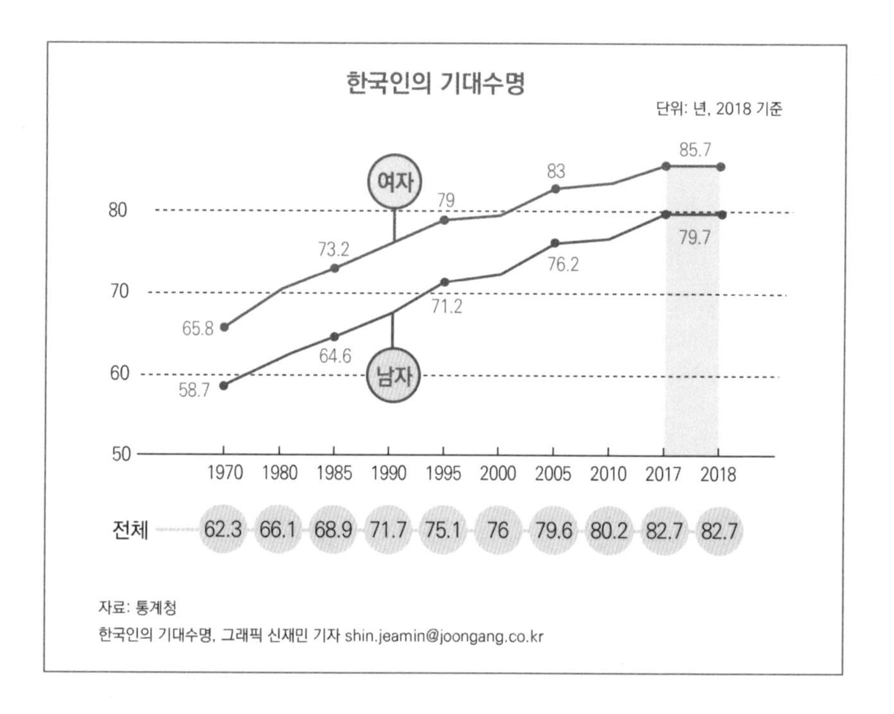

현재는 강력한 전염성을 가진 코로나의 특성 및 이에 대한 공포감으로 인해 경제 활동이 마치 얼어붙은 것처럼 전반적으로 위축되어

있지만, 경제 활동 역시 얼마나 시간이 더 걸릴지는 정확히 모르겠지만 서서히 회복하리라 예상합니다. **IMF, 리먼사태 등 과거의 예를 보아 빠르면 6개월~1년, 아무리 오래 걸려도 2~3년 뒤에는 결국 바닥을 찍고 반등할 것입니다.** 또한 부동산을 포함한 모든 자산에 대한 투자 분위기 역시 경제 활동의 정상화와 더불어 다시 회복될 것입니다.

오히려 한국의 부동산 시장은 코로나로 인한 일시적인 요인을 떠나 인구통계적인 요소, 그리고 현 문재인 정부의 '부동산 규제' 내지는 '소득주도성장'이라는 정책 기조에 따른 변동성이 더욱 큰 것이 아닐까 생각합니다. 특히 전 세계적인 불경기와 기업들의 실적 악화 등으로 인해 세금을 쓸 데는 많아졌고 조세 수입은 더 줄어들게 되었으므로 앞으로 이러한 수입과 지출의 불균형을 어떻게 해결해 나갈 것인지가 부동산 시장에도 여러 가지 2차, 3차 충격을 더하지 않을까 생각됩니다. 코로나 사태로 인한 기업들의(특히 건설업종의) 유동성 및 투자 여력 부족으로 인해 주택 공급이 원래 계획보다 크게 줄어드는 현상 역시 장기적으로는 주택 공급 부족으로 인한 수요-공급 불균형을 일으킬 것입니다.

또한 미국의 증권 시장을 벤치마킹으로 살펴보자면, 코로나 사태로 인해 주가의 양극화가 매우 심화되는 현상을 보이고 있습니다. 전체적인 주가지수가 초기에는 하락세를 보이다가 이후 급반등하는 양상을 보였는데, 개별 주식을 자세히 들여다보면 코로나로 인해 기본 체력이 훼손되었다고 볼 수 있는 에너지, 자동차, 항공, 여행 등의 업종은 더욱 하락폭이 컸으며, 소위 개인 간의 접촉이 없는 언택트(Untact) 기반의 인터넷 네트워킹 관련 주들은 더욱 고평가되고 있는 상황입니다. 따라서 이러한 주식의 양극화 현상이 앞으로 부동산에도 어느 정도 동일한 양상으로 나타날 수 있다고 보는 것이 타당할 것입니다. 단적으로 말해서, 주변 환경의 위생 상태가 그리 좋지 않은 주택 및 아파트에 대한 선호도는 더욱 떨어지고, 개별적인 동선과 안전하고 쾌적한 공간을 보장하는 주택 및 아파트에 대한 선호도는 더욱 올라갈 것이 명약관화할 것입니다.

이 책에서는 이상과 같은 관점에서 인구통계적인 요소, 정책 기조에 따른 변동성, 그리고 여러 다양한 부동산 투자에 대한 시각을 기반으로 향후 독자 여러분이 어떻게 '전략적인 부동산 투자'를 바라보고 실행하여야 할지에 대한 인사이트를 수립하는 데 조금이라도 도움이 될 수 있었으면 하는 내용들을 제시하고자 하였습니다.

모쪼록 이 험난한 시기에 개인의 소중한 재산을 잘 지키고, 나아가 부동산 투자에 대해 다양한 관점을 키우는 계기가 되기를 바랍니다.

코로나 이후의 뉴 패러다임
Executive Summary

코로나 19가 향후 부동산 투자에 미칠 영향을 전략, 정책, 투자, 비전의 4가지로 나누어 시각화된 도표로 요약 설명해 보았습니다.

그리고 코로나 이후 인류의 라이프스타일이 크게 바뀔 수 있다는 점에 착안해 'Coronacus(코로나 신인류)'라는 신조어를 나름대로 만들어 보았습니다.

도표에 대한 보다 상세한 설명은 각 4개 파트의 마지막 부분에서 설명하도록 하겠습니다.

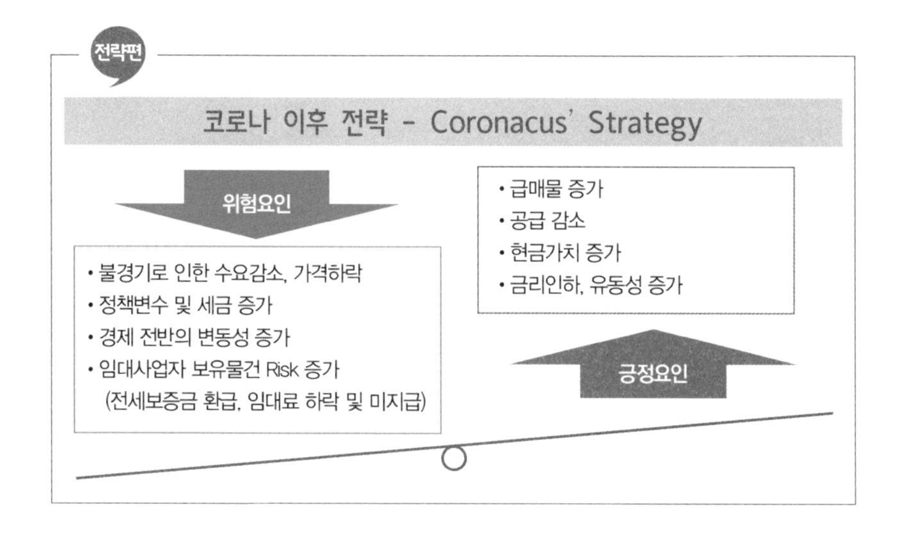

코로나 이후 정책 - Coronacus' Policy

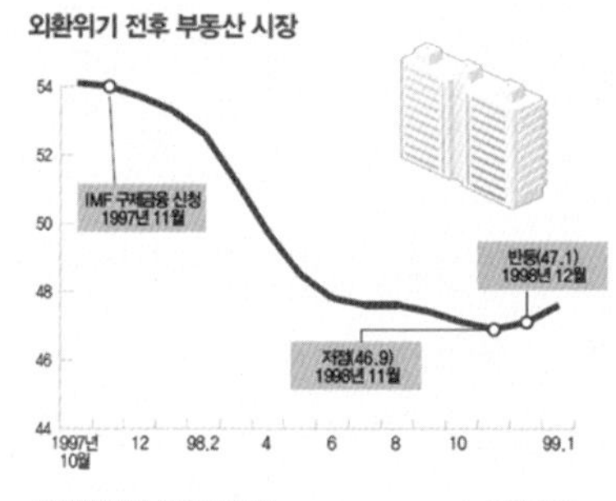

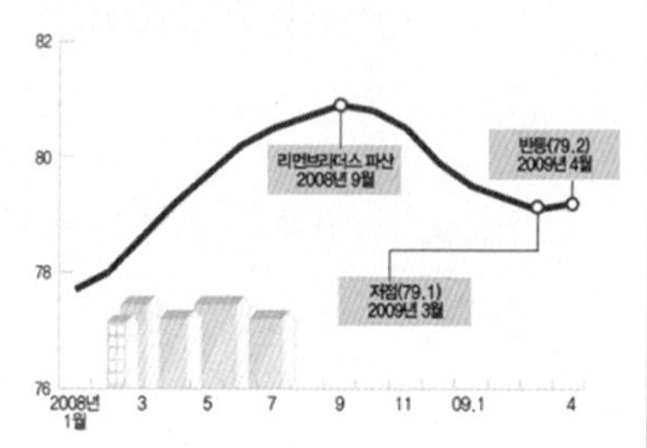

그래픽 출처: "외환 금융위기와 코로나 19 파장 비교: 외환위기 땐 코스피 7개월 새 56% 폭락-코로나, 두 달 새 35% 뚝...바닥 장담 못해", 강승태, 반진욱 기자, 2020. 4. 4. 매경이코노미

'97년 IMF 외환위기(평균 15% 하락) 시 부동산 정책	'08년 리먼사태 금융위기(평균 3% 하락) 시 부동산 정책
• 분양권 재당첨 금지 기간 단축 • 청약 자격 제한 완화 • 분양가 자율화 • 양도세 한시 면제 • 취 · 등록세 감면 • 분양권 전매 허용 • 외국인 토지취득 완화 • 토지초과이득세법 폐지	• 투기지역, 투기과열지구 해제(강남 3구 제외) • 수도권 전매제한 완화 • 재건축 규제 완화 • 지방 미분양 세제 지원 • DTI 규제 탄력 적용

코로나 이후 투자 - Coronacus' Investment

현금 확보
Cashflow 확충

절세전략 수립
2년 거주 필수

발빠른 갈아타기 교체 · 매매
매수타이밍 포착
적극적인 상속 · 증여

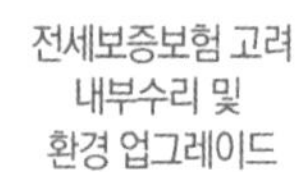

전세보증보험 고려
내부수리 및
환경 업그레이드

코로나 이후 비전 - Coronacus' Vision

Value Proposition Shift	• 편의성과 스피드만 추구하던 라이프스타일 변화 • 다소 바싸더라도 적정 가치에 대한 지불의사 증가 • 직주 접근성(직장~주택 간 이동거리) 및 IT 인프라 중요성 더욱 증가 • 어설픈 위치에 자리잡은 나홀로 아파트의 가치 절하 가능
Health-First Untact Closed & Privacy	• 건강 최우선, 복도식 아파트 및 엘리베이터 기피, 대중교통 기피 • 자전거, 전동킥보드, 배달 및 렌털서비스 이용 증가 • 자급자족단지 및 개별 타운하우스 선호도, 지하주차장 선호도 상승 • 커뮤니티 센터에 대한 선호도는 이용객 안정성 확보를 전제로 상승 가능
단기적 Risk ↑ 중장기적으로는 경제성장률에 수렴	• 과거 경제위기 시 6개월~1년간 하락세 지속 및 Risk 증가 • 그러나, 중장기적으로는 결국 경제성장률 회복세에 수렴할 것으로 예상 • 공격적인 투자보다는 바닥을 확인하고 안전하게 행동하는 것이 최우선

CONTENTS

전략편
부동산은 어떤 변수로 움직일까?

정책편
부동산 정책은 어떻게 진행되어 왔고 어떤 영향을 미쳤을까?

CONTENTS

투자편
어떤 부동산을 어떻게 사고팔까?

비전편
자신만의 비전을 세우고, 인내하고, 노력하라

부동산은 어떤 변수로 움직일까?

Strategy

전략 ❶ 한국인의 전통, 부동산 투자

전략 ❷ 일본 부동산은 침체를 딛고 다시 상승

전략 ❸ 부동산을 움직이는 7大 변수들
① 경제성장률과 물가상승률

전략 ❹ 부동산을 움직이는 7大 변수들
② 통화공급량

전략 ❺ 부동산을 움직이는 7大 변수들
③ 수요-공급 불균형

전략 ❻ 부동산을 움직이는 7大 변수들
④ 수요 증가의 원인: 외국인 수요 증가, 1인 가구 증가

전략 ❼ 부동산을 움직이는 7大 변수들
⑤ 공급 감소의 원인: 노후주택 멸실량 증가, 규제 증가로 인한 공급 감소

전략 ❽ 부동산을 움직이는 7大 변수들
⑥ 심리변수: 양극화, 젊은층의 구입 증가

전략 ❾ 부동산을 움직이는 7大 변수들
⑦ 정책변수

전략 ❿ 부동산의 Long Position과 Short Position은?

코로나 이후 전략 Coronacus' Strategy

Part 01

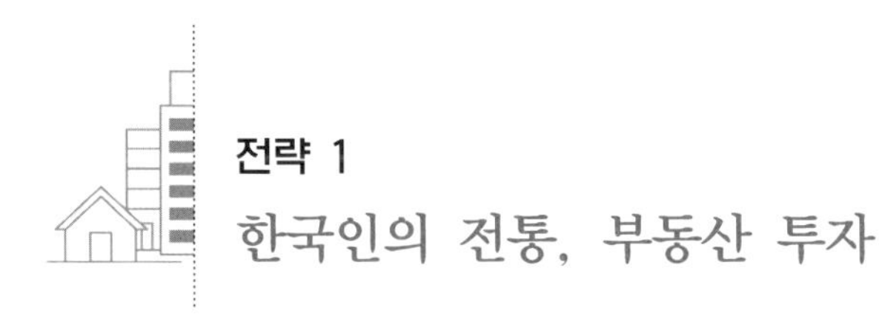

전략 1

한국인의 전통, 부동산 투자

한국 사람들에게는 전통적으로 특정 인기 부동산을 선호하는 DNA가 있습니다. 이에 대한 사례도 여럿 존재합니다. 예를 들어, 조선 영조 때인 1,700년대에 인사동(현재의 강남이랄까?) 기와집 집값은 당시 종9품(최하 직급) 공무원 연봉의 50년치인 쌀 7,500석가량이었다고 합니다. 반면, 남산골 초가집 집값은 연봉 2년치인 쌀 300석가량이었다고 합니다. 이렇게 차이가 난 가장 큰 이유는 당시 양반이라면 외출 시 반드시 종이 끄는 말을 타고 다녀야 하는 허세에서 비롯된 것입니다. 산골짜기에는 말을 끌고 다닐 수 없으므로 사대문 안의 평지에 위치한 주택과 남산골에 위치한 주택 가격이(대부분의 독자들은 알겠지만 실제 거리는 그리 멀지 않음에도 불구하고) 25배가량이나 차이를 보이고 있는 것입니다.

그렇다면, 2020년대의 현재 한국의 집값은 어떨까요? 강남의 30평대 신축 아파트 중에서 직장인 평균 연봉 3,400만 원의 50년치인 17억 원 가량의 시가를 형성하고 있는 것을 어렵지 않게 찾아볼 수 있습니다. 또한, 경기도 외곽의 오래된 다세대 빌라 중 일부는 직장인 평균연봉의 2년치에 크게 벗어나지 않는 7,500~9,000만 원의 시가를 형성하고 있습니다. 이는 300여년 전 영조시대의 생활 패턴, 심리적인 차이가 21세기의 오늘날에도 그대로 계승되고 있는 것으로 볼 수 있습니다.

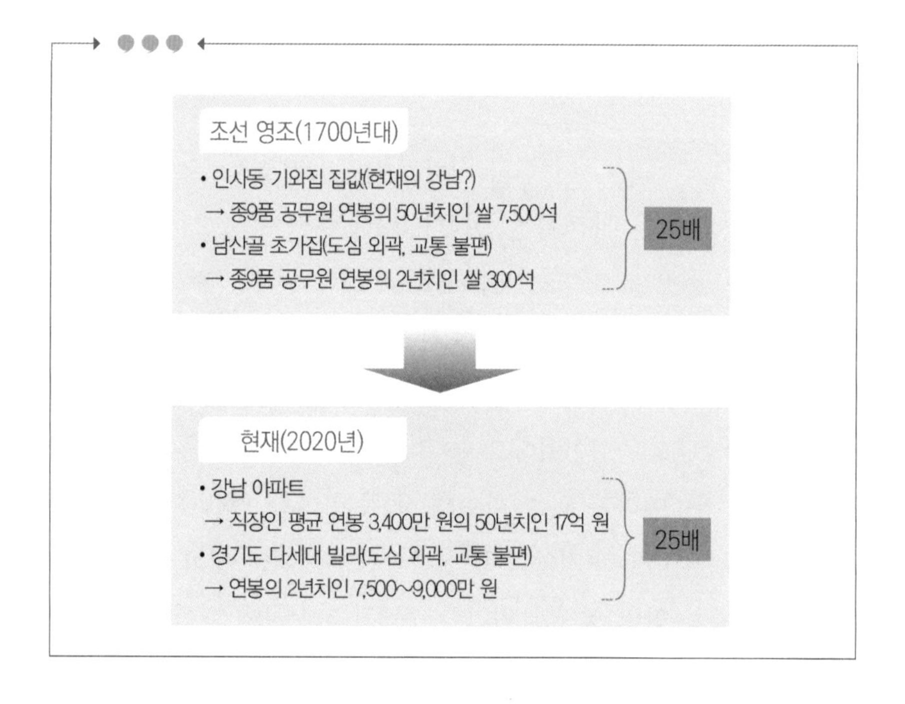

참 고 **1801년에 작성된 다산 정약용의 편지**

(전략) 중국은 문명한 것이 풍속이 되어 아무리 궁벽한 시골이나 먼 변두리 마을에서 살더라도 성인이나 현인이 되는 데 방해받을 일이 없으나, 우리나라는 그렇지 못해서 서울 문밖에서 몇십 리만 떨어져도 태고처럼 원시사회가 되어 있는데 하물며 멀고 먼 시골이랴.

무릇 사대부 집안의 법도는 벼슬길에 높이 올라 권세를 날릴 때에는 빨리 산비탈에 셋집을 내어 살면서 처사로서의 본색을 잃지 않아야 한다. 그러나 만약 벼슬길이 끊어져 버리면 빨리 서울에 붙어 살면서 문화(文華)의 안목을 잃지 않도록 해야 한다.

지금 내가 죄인이 되어 너희들에게 아직은 시골에 숨어서 살게 하였지만, 앞으로의 계획인즉 오직 서울의 십 리 안만이 가히 살 수 있다. 만약 집안의 힘이 쇠락하여 서울 한복판으로 깊이 들어갈 수 없다면, 잠시 서울 근교에 살면서 과일과 채소를 심어 생활을 유지하다가 재산이 조금 불어나면 바로 도시 한복판으로 들어가도 늦지는 않다. (중략)

만약 하루아침의 분노를 이기지 못하여 서둘러 먼 시골로 이사가 버린다면 무식하고 천한 백성으로 일생을 끝마치고 말 뿐이다.

• 정약용, 「유배지에서 보낸 편지」, 박석무, 창작과비평사(1999)

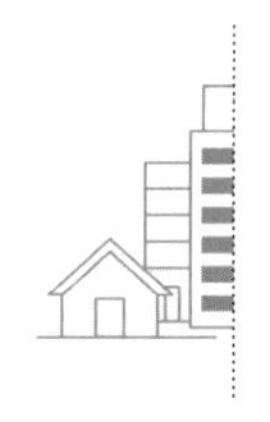

전략 2
일본 부동산은 침체를 딛고 다시 상승

한국은 정치, 산업, 기술, 문화 등 모든 분야에 있어서 일제강점기 이래 일본에서 영향받은 것들이 엄청나게 많습니다. 부동산 트렌드 역시 말하자면 그 결과의 산물 중 하나입니다. 경제, 인구 구성, 사람들의 선호도 등의 변화에 따른 일본의 부동산 트렌드가 일정 기간의 시차를 두고 한국에 그대로 똑같이 벌어지는 경향을 보여 왔습니다.

그런데, 니혼게이자이신문의 2018. 9. 18.자 기사에서는 일본 내 택지 가격이 1991년 이래 무려 27년 만에 상승했다고 보도한 바 있습니다. 소위 '잃어버린 20년'이라고 일컬어지던 장기 불황의 침체를 극복하는 추세가 부동산 트렌드에도 고스란히 반영되고 있는 것입니다. 또한 동 신문의 2019. 5. 30.자 기사에 따르면 일본 수도권 아파트의 평균 가격이 전년 대비 9.9% 상승했으며, 한국의 서울 지하철 2호선에 비유되는 순환노선인 도쿄 야마노테선 주변 위주로 전반적으로 가격 상승세가 확산되었다고 합니다. 하지만 도쿄 외곽의 신도시들의 경우 가격 상승이 수도권 평균에 크게 못 미치는 것으로 나타났다고 합니다.[2)]

2) 김동욱의 일본경제워치, 「20년 만에 가장 많이 오른 도쿄 아파트 가격…도심 지역이 집값 상승 주도」, 한국경제신문, 2019. 5. 30.

이러한 현상의 가장 큰 이유는 무엇일까요? 일본의 전체적인 인구 구조는 빠르게 고령화되고 있고 전체 인구도 줄어드는 상황인데 비해 도쿄 등 수도권으로 인구가 집중되고 있으며, 그 결과 수도권 내에서도 도쿄 핵심지역을 중심으로 부동산 가격이 오르는 모습이 이어지고 있다는 것입니다.

그 이유를 좀 더 자세히 설명해 보겠습니다. 과거 2011~2016년 동안 도쿄 외곽지역 신도시 주민들의 실질 소득이 감소했다는 뉴스도 있습니다. 왜냐하면, 일본의 베이비붐 세대가 연금생활에 들어가면서 고령화, 인구감소, 소득감소 현상이 동시에 발생했다는 것입니다. 반면, 이 기간 동안 도쿄 도심지역 주민들의 소득은 오히려 증가했다고 합니다. 은퇴한 노인들의 높은 연봉을 차세대에서 물려받은 것입니다. 또한 노인 인구층도 도심 외곽에서 다시 도쿄 도심으로 회귀하는 현상을 보였다고 합니다.

이러한 노년층의 도심 회귀 현상은 어떻게 일어난 것일까요? 일본에서는 거품경제기에 중장년층의 직장인들이 도쿄에서 지하철로 1~2시간 정도 걸리는 외곽지역에 주차장이 완비된 단독주택을 직접 짓는 것이 한때 꿈이자 유행이었습니다. 그러나 이들이 막상 은퇴자 생활을 하게 되자 단독주택은 관리하는 데 일손이 너무 많이 필요한데 몸은 예전같지 않게 되었습니다. 그리고 의료시설이나 문화시설 등의 인프라 수혜, 은퇴 후 소셜네트워킹을 활발히 할 수 있는 기동성이 나이가 들수록 힘들게 되었습니다.

이밖에도, 한국에서는 비록 과거사, 경제제재, 안보협력 등에서 욕을 엄청 먹고 있지만 아베 총리가 경제 성장을 끌어낸 지도력도 부동산 가격 상승에 어느 정도 기여했던 것이 사실입니다. 아베 총리가 재집권한 2012년 12월 이후 일본의 GDP, 기업 이익, 조세 수입은 계속 성장하여 사상 최고치를 기록한 바 있습니다. 실업률 역시 4.3%에서 2.4%로 떨어졌습니다. 이러한 경제 전반의 온기가 부동산 상승을 끌어내는 것은 당연한 것입니다.[3)4)] 비록 최근의 코로나 대응에 대해서는 비판을 많이 받고 있지만, 2020. 4. 26.에 행해진 시즈오카현 제 4선거구 보궐선거에서는 또 다시 집권 자민당이 승리하기도 했습니다.

> ► **니혼게이자이신문**('18. 9.)
>
> • 2011~2016년 동안 수도권 외곽지역 신도시 주민들의 소득이 감소
>
> • 베이비붐 세대가 연금생활에 들어가면서 고령화, 인구감소, 소득감소 현상 발생
>
> • 반면, 도쿄 도심지역 주민들의 소득은 증가
>
> • 노인 인구층도 외곽에서 다시 도쿄 도심으로 회귀하는 현상 발생

---

3) 조계완 기자, 「'아베노믹스 6년' 일본, 이제 '내수기반 경제' 아니다?」, 한겨레신문, 2019. 3. 4.

4) 일본 내각부 발표자료

일본 주택지 공시지가 변화

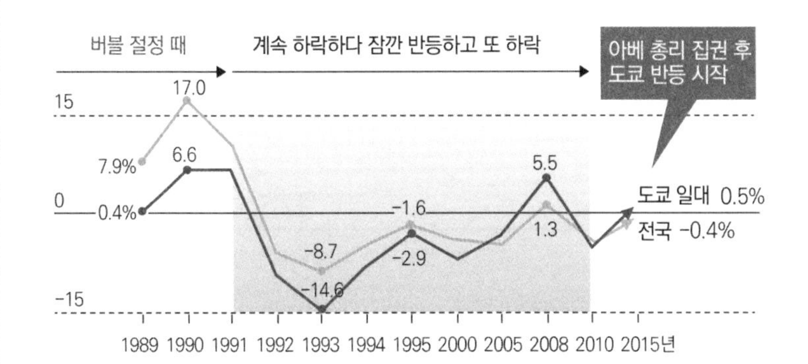

일본 아파트값 변화

자료: 일본 총무성·국토교통성부동산경제연구소

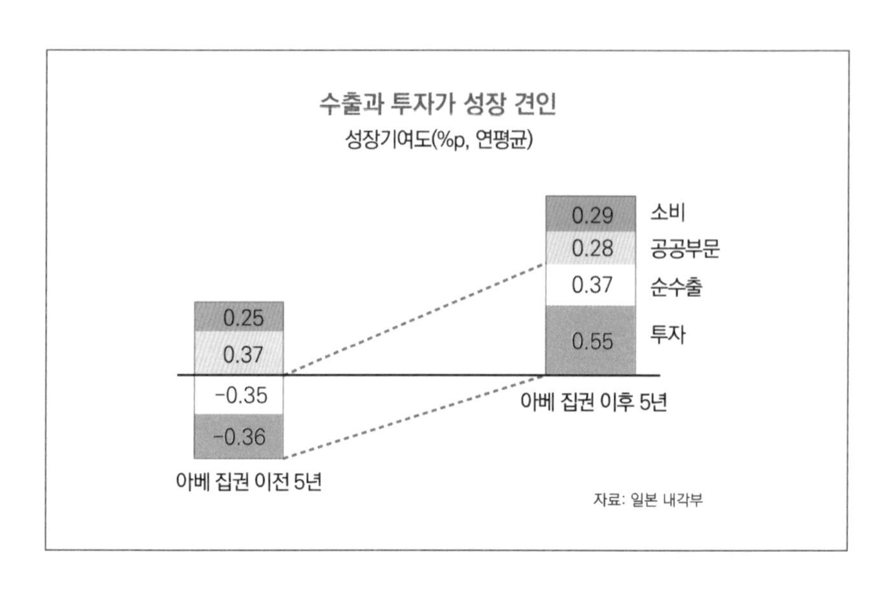
수출과 투자가 성장 견인
성장기여도(%p, 연평균)
0.25
0.37
-0.35
-0.36
아베 집권 이전 5년
0.29
0.28
0.37
0.55
소비
공공부문
순수출
투자
아베 집권 이후 5년
자료: 일본 내각부

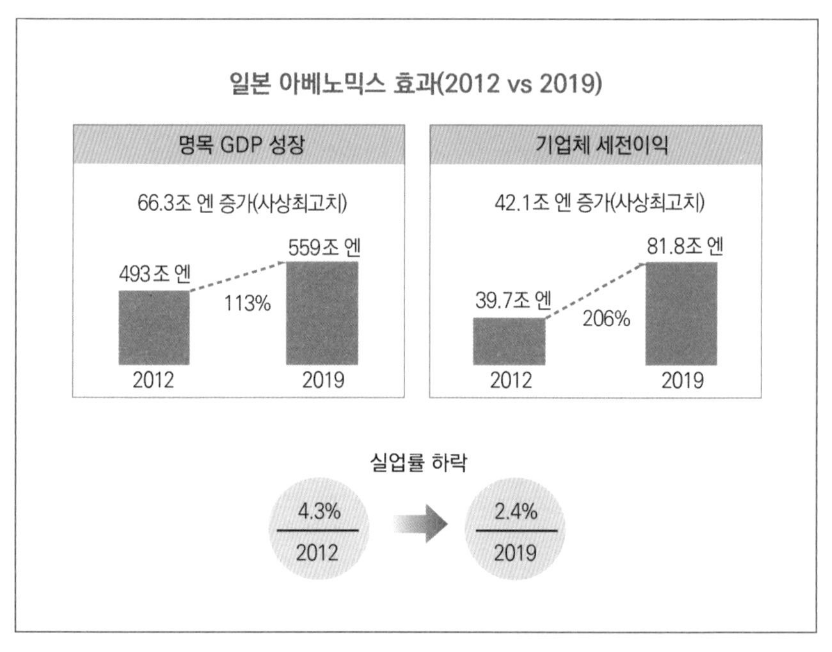
일본 아베노믹스 효과(2012 vs 2019)
명목 GDP 성장
66.3조 엔 증가(사상최고치)
493조 엔
559조 엔
113%
2012
2019
기업체 세전이익
42.1조 엔 증가(사상최고치)
39.7조 엔
81.8조 엔
206%
2012
2019
실업률 하락
4.3%
2012
2.4%
2019

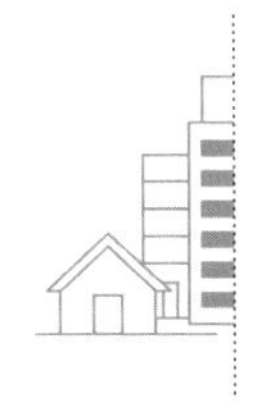

전략 3
부동산을 움직이는 7大 변수들
① 경제성장률과 물가상승률

다음으로 한국의 부동산 시장을 움직이는 변수들에 대해서 생각해 보겠습니다. 어떤 변수가 부동산 시장을 움직이는지에 대해 잘 아는 것은 두말할 것 없이 매우 중요합니다. 이로 인해 과거를 분석하고 미래를 예측할 수 있기 때문입니다.

앞서 일본의 경우에서도 보았듯이, 부동산 역시 경제를 구성하는 여러 자산 중 하나이므로 경제성장률에 후행하거나, 최소한 동행하는 정도로 변동한다는 것이 대다수 학자들의 공통된 견해입니다. 또한 물가상승률 역시 동일한 이유에서 경제성장률이 먼저 변동한 후, 3~6개월가량의 시차를 두고 경제성장률에 후행하는 것이 일반적이라고 합니다. 어쨌든 변화를 반영하는 속도의 순서로 보면 대략 경제성장률 ≥ 부동산가격변동률 ≥ 물가상승률 정도로 줄세우기를 할 수 있을 것입니다.

이를 염두에 두고 아래의 〈그림 1〉과 〈그림 2〉를 살펴보겠습니다. KB국민은행에서 제공하는 데이터에 따르면, 1991년부터 2016년까지 26년간 한국의 경제성장률은 5.1%에 달했고, 이 기간 동안 전국의 주택가격상승률은 2.2%, 서울의 아파트가격상승률은 3.3%라고 합니다. 하지만 이 그래프의 흐름에 나와 있듯이 경제가 성장하면 부동산은 시차를 두고 경제성장률 이상으로 급등할 수 있으며, 경제가 하락하면 부동산은 경제하락률의 폭 이하로 급락할 수 있다는 것을 읽을 수 있습니다. 또한 이 추세를 역으로 생각해 보면 부동산 투자를 어떻게 접근해야 할지도 유추해볼 수 있습니다.

일시적으로 부동산 가격의 급락이 일어나더라도 시간이 지나면 점차 회복세로 돌아오기 때문입니다. 즉, 수요 〉 공급의 균형이 웬만큼 평균 이상으로 받쳐주는 지역이라면 충분히 버틸 수 있다는 시사점을 제시해 주는 것입니다.

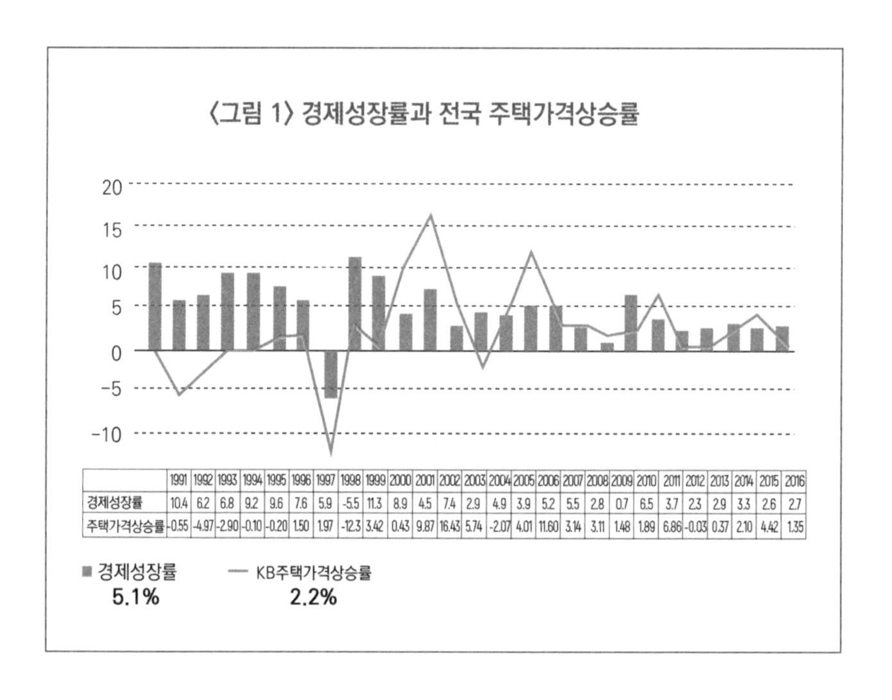

	1991	1992	1993	1994	1995	1996	1997	1998	1999	2000	2001	2002	2003
경제성장률	10.4	6.2	6.8	9.2	9.6	7.6	5.9	-5.5	11.3	8.9	4.5	7.4	2.9
주택가격상승률	-0.55	-4.97	-2.90	-0.10	-0.20	1.50	1.97	-12.3	3.42	0.43	9.87	16.43	5.74

	2004	2005	2006	2007	2008	2009	2010	2011	2012	2013	2014	2015	2016
경제성장률	4.9	3.9	5.2	5.5	2.8	0.7	6.5	3.7	2.3	2.9	3.3	2.6	2.7
주택가격상승률	-2.07	4.01	11.60	3.14	3.11	1.48	1.89	6.86	-0.03	0.37	2.10	4.42	1.35

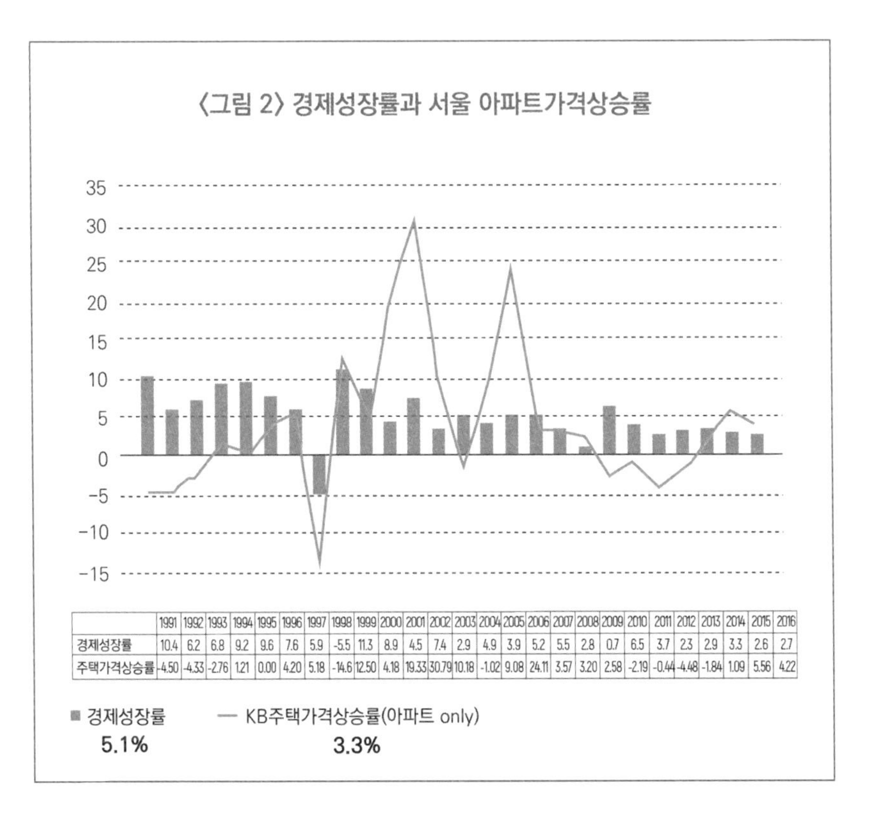

	1991	1992	1993	1994	1995	1996	1997	1998	1999	2000	2001	2002	2003
경제성장률	10.4	6.2	6.8	9.2	9.6	7.6	5.9	-5.5	11.3	8.9	4.5	7.4	2.9
주택가격상승률	-4.50	-4.33	-2.76	1.21	0.00	4.20	5.18	-14.6	12.50	4.18	19.33	30.79	10.18

	2004	2005	2006	2007	2008	2009	2010	2011	2012	2013	2014	2015	2016
경제성장률	4.9	3.9	5.2	5.5	2.8	0.7	6.5	3.7	2.3	2.9	3.3	2.6	2.7
주택가격상승률	-1.02	9.08	24.11	3.57	3.20	2.58	-2.19	-0.44	-4.48	-1.84	1.09	5.56	4.22

또한 아래 〈그림 3〉에서는 소비자물가와 주택가격상승률 추이를 나타내고 있습니다. 물가는 경제성장률보다는 부동산 가격과 선행 또는 후행 중 어느 관계인지 약간은 불분명합니다. 하지만 전체적인 추세로 살펴보면 2000년부터 2018년간 소비자물가 상승률이 평균 4.4%일 동안 주택가격상승률은 2.2% 정도로 어쨌든 동반 상승한 것은 분명합니다.

그럼 세계적인 추세는 어떨까요? 〈그림 4〉에서는 2000년대에 세계의 주택가격지수와 한국의 주택가격지수를 비교해서 보여주고 있습니다. 비록 세계 주택가격지수는 2008년에 소위 '리먼 사태'로 일컬어지는 주택담보부증권 관련 파생상품의 글로벌 부도위기로 인해 큰 폭으로 일시 하락하였으나, 2013년 이후는 다시 상승세로 돌아서서 결국은 한국의 주택가격지수와 유사한 수준으로 회복하였습니다.

결국 경제성장률이나 물가지수가 오른다는 것은 그 누군가는 돈을 벌고 있는 것이며, 누군가가 돈을 벌고 있는 이상 전체 부동산 시장은 조금씩이라도 상승할 수밖에 없는 것입니다.

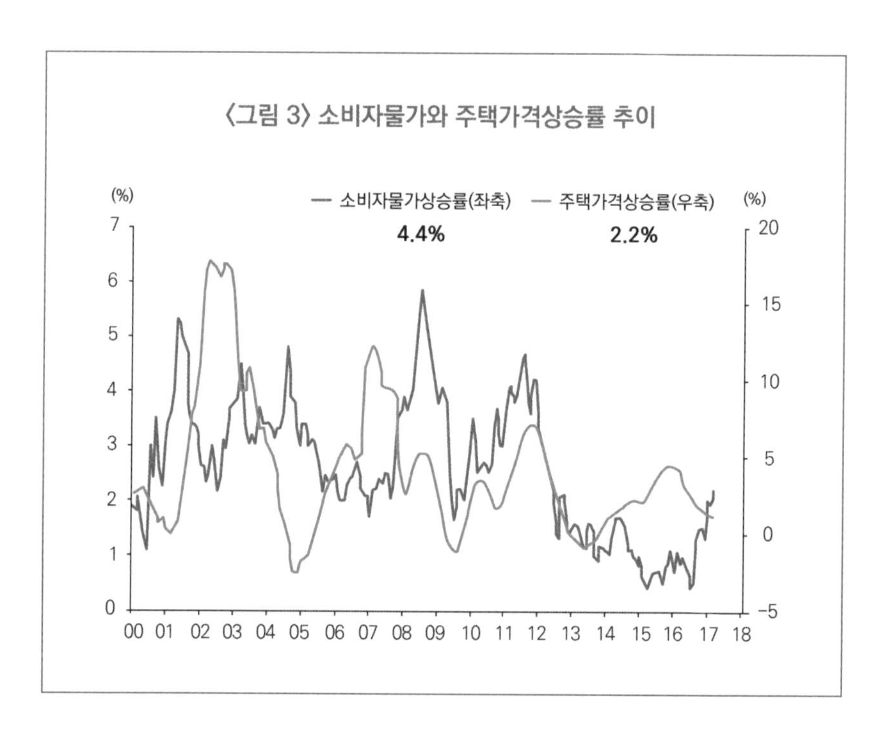

〈그림 3〉 소비자물가와 주택가격상승률 추이

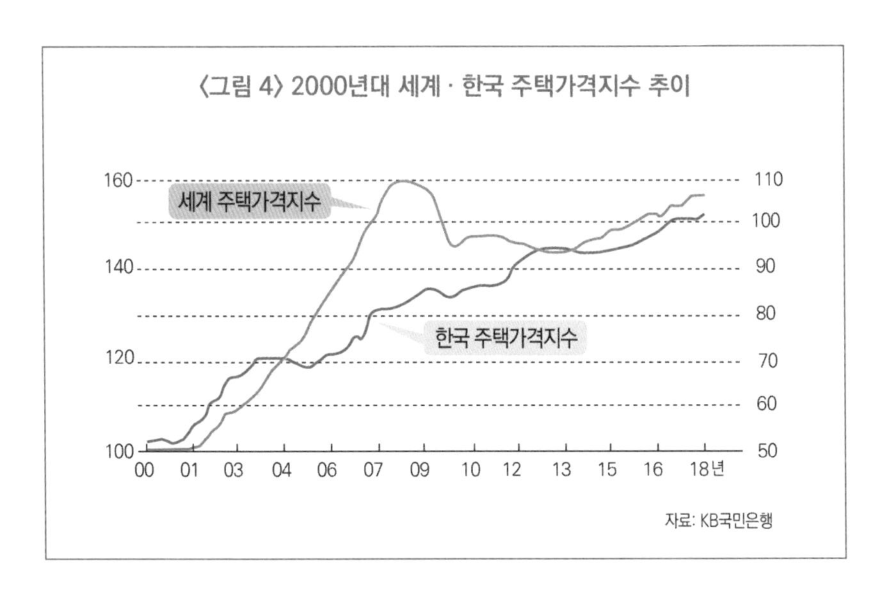
〈그림 4〉 2000년대 세계 · 한국 주택가격지수 추이
세계 주택가격지수
한국 주택가격지수
160
140
120
100
110
100
90
80
70
60
50
00
01
03
04
06
07
09
10
12
13
15
16
18년
자료: KB국민은행

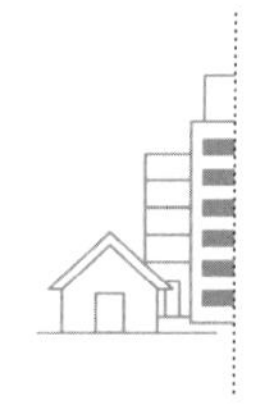

전략 4

부동산을 움직이는 7大 변수들

② 통화공급량

경제성장률과 물가성장률 외에 통화공급량이 부동산에 미치는 영향도 고려하여야 할 것입니다.

아래는 KB부동산에서 제공하는 전국 주택매매가격지수 및 전세가격지수, 그리고 한국은행 및 국가통계포털이 제공하는 통화공급량(M1, M2)을 2019년 초의 지수 및 통화량을 100%로 기준으로 과거 20년간의 흐름을 비교해 본 결과입니다.[5)]

5) °M1(협의통화)=현금통화+요구불예금, 수시입출식 저축성예금
−동 금융상품의 예금취급기관 간 상호거래분
°M2(광의통화)=M1+기간물 정기예금,적금 및 부금+시장형금융상품(CD, RP, 표지어음)
+실적 배당형금융상품(금전신탁, 수익증권 등)+금융채
+기타(투신증권저축, 종금사 발행어음)
−동 금융상품 중 장기(만기 2년 이상) 상품
−동 금융상품의 예금취급기관 간 상호거래분

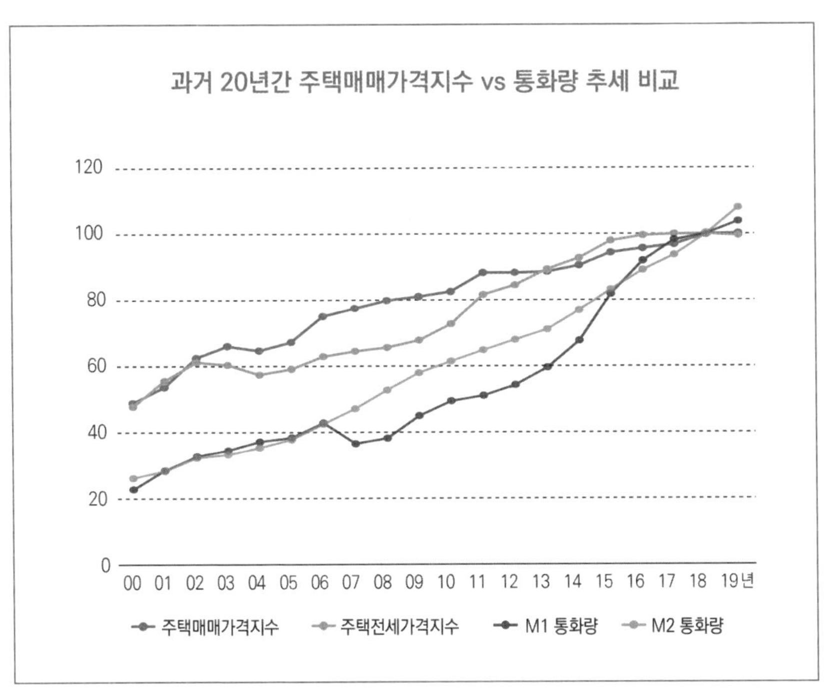

*결론: 주택전세가와 통화량(M2)은 관련성이 매우 높음.

이 그래프에서 보여주듯이, 주택지수와 통화량은 시기에 따라 약간의 등락은 있지만 기본적으로 유사한 우상향 흐름을 보여주고 있습니다. 특히 주택전세가격지수와 M2 통화량은 상대적으로 가장 근접한 흐름을 나타내고 있어서 주택가격과 통화량과의 상관관계가 매우 가깝다는 것을 잘 나타내주고 있습니다.

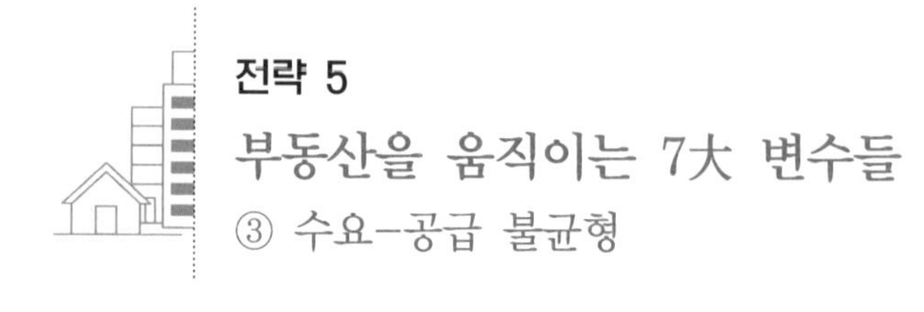

전략 5
부동산을 움직이는 7大 변수들
③ 수요-공급 불균형

앞부분에서도 이미 수차례 강조한 사항이지만, 부동산 역시 경제학에서 말하는 재화(Product)의 일종이므로 수요(Supply)-공급(Demand)의 법칙을 따르게 마련입니다. 찾는 사람이 많으면 가격이 올라가고, 파는 사람이 많으면 가격이 내려가는 것입니다. 그런데, 부동산은 일반적인 재화와는 달리 공급, 사용, 유지의 전 과정이 상당히 독특한 '상품'입니다.

일반적으로(개간이나 매립지 개발이 아닌 한) 땅은 한정되어 있으며, 비슷한 위치의 토지나 주택이라도 사실은 다 조금씩 독특하고(unique), 고유한 특성을 가지고 있습니다. 그리고 부동산은 영구적인 것 같지만 사실 영구적인 것은 토지일 뿐, 그 위에 세워져 있는 **주택은 수명이 존재**합니다. 대략 30~50년 정도의 시기가 지나면 주택의 뼈대가 낡고 삭아져서 전면적인 수리 또는 재건축이 필요하게 됩니다.

따라서 소멸되는 주택을 대체하기 위해 신규 공급이 필요하며, 이 때에도 다시 수요-공급 곡선이 적용되는 것입니다.

아래 그림은 하나금융투자에서 향후 연도별 주택 수요를 추정하여 제시한 자료입니다. 이 자료에서는 정부에서 측정한 주택 수요가 매년 약 39만 호인데 비해, 하나금융투자에서 측정한 주택 수요는 약 55만 호로 큰 차이를 보이고 있습니다.

그 이유는 하나금융투자에서는 주택멸실량을 정부 예상치보다 좀 더 현실적으로 측정하였고, 정부에서 향후 통계에 반영하지 않은 외국인 및 1인 가구의 증가세를 반영하여 측정하였기 때문이라고 합니다.

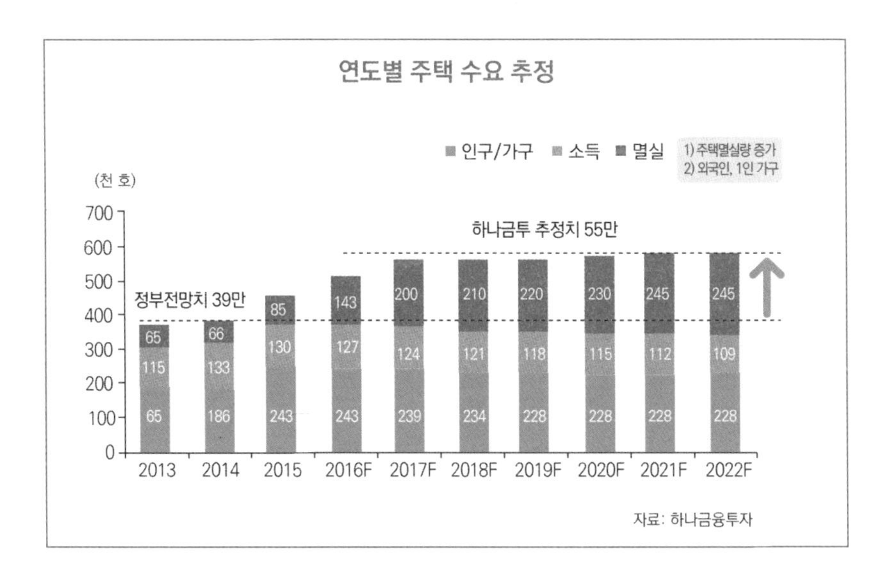

특히 향후 수도권 아파트의 수요-공급 불균형을 야기하는 요인은 크게 4가지로 설명될 수 있는데, 수요 증가 측면으로는 외국인 수요 증가, 1인 가구 증가 등의 2가지 요인이 있고 공급 감소 측면으로는 노후주택 멸실량 증가, 규제증가로 인한 공급 감소의 2가지 요인이 있습니다.

이어지는 장에서는 이 4가지 요인들에 대해 자세히 설명해 보겠습니다.

아파트 수요-공급 불균형의 4대 요인
1. 수요 증가의 2대 요인: 외국인 수요 증가, 1인 가구 증가
2. 공급 감소의 2대 요인: 노후주택 멸실량 증가 & 규제 증가

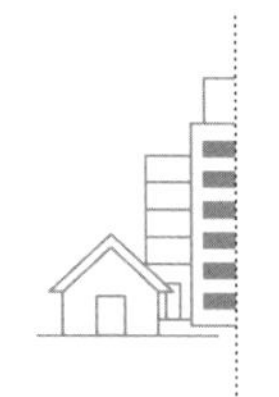

전략 6

부동산을 움직이는 7大 변수들

④ 수요 증가의 원인: 외국인 수요 증가, 1인 가구 증가

최근 국내 부동산 매수 수요 증가의 원인들 중 가장 두드러진 것 2가지는 외국인 거주자와 1인 가구의 증가세를 꼽을 수 있을 것입니다(최근 1~2년간 30대들이 추가 상승에 대한 두려움으로 인해 레버리지를 최대화하여 부동산 추격 매수에 나섰다는 내용은 일단 본 변수에서 제외하고 추후에 다루도록 하겠습니다. 실제로는 상속 이슈로 인한 매입, 그리고 부모로부터의 지원에 기댄 매수세가 상당히 섞여 있다고 보이기 때문입니다).

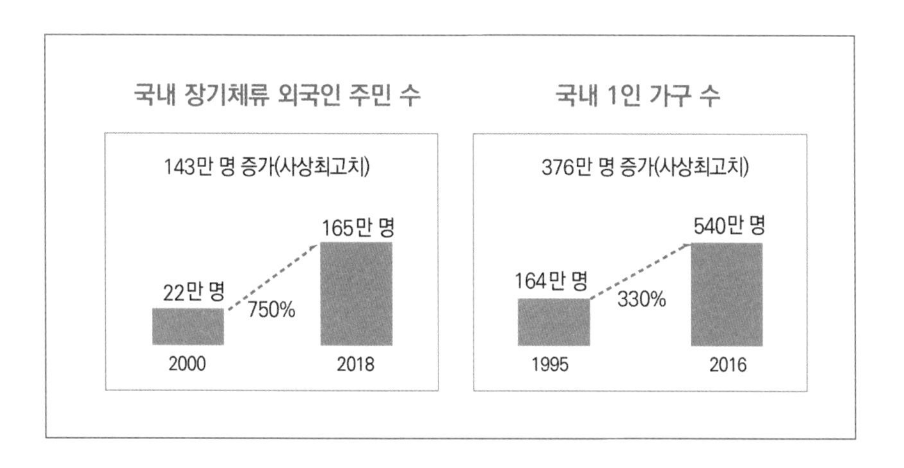

동아일보의 2019. 10. 31.자 기사에 따르면, 2018년 현재 국내 외국인 주민 수는 205만 명으로 국내 총인구 5,162만 명의 4%가량을

차지하는 것으로 나타났습니다. 특히 국내에 거주하는 장기체류 외국인 주민 수는 165만 명으로 지난 2000년의 22만 명에 비해 7.5배가 늘어날 정도로 폭발적인 증가세를 보이고 있습니다. 또한 이들 외국인 거주자들은 경기도 32.7%, 서울 21.7% 등 총 60.1%가 수도권인 서울, 경기, 인천에 거주하고 있습니다.

그런데 왜 이렇게 한국, 특히 서울을 위시한 수도권 지역에 거주하는 외국인들이 폭발적으로 늘어나고 있을까요? 그 이유는 한마디로 **'서울은 이제 글로벌 메가시티의 반열에 올랐기 때문'**입니다. 캐나다 토론토대학 로트먼경영대학원 리처드 플로리다 교수의 「도시는 왜 불평등한가」라는 책에서는 극소수의 대도시가 인재와 돈을 끌어들이며 지역 간, 계층 간 불평등이 심화하는 현상을 새로운 도시위기로 정의하고 있습니다. 글로벌 메가시티에는 대중교통, 공원, 병원 등 생활에 편리한 각종 인프라, 경제력, 정보, 네트워킹, 문화, 에너지 등이 집결되고 있습니다. 이러한 현상으로 인해 메가시티는 더욱더 최첨단 기술력과 투자 기회와 고급 인재를 끌어들입니다.[6]

예를 들어, IT와 패션과 영상 미술 디자인, 힙합 음악이 섞인 가장 핫한 SNS 광고를 만들려고 기획합니다. 이를 위해서는 IT 전문가, 패션, 영상, 미술, 음악 분야의 전문가와 더불어 이를 발주할 광고주와 광고 제작을 총괄 지휘할 디렉터가 필요합니다. 이러한 각 분야의 전문가들이 차 또는 비행기로 2~3시간 이상 이동해야 한다면, 그 시

---

6) 권성희 부장, 「서울 집값은 오를 수 밖에 없다("줄리아 투자노트" 네이버 포스트)」, 머니투데이, 2018. 9. 17.

간과 비용은 엄청나게 증가하게 됩니다. 하지만 이들이 대중교통이나 자전거, 킥보드 등으로 30분가량의 이동으로 전부 모일 수 있는 메가시티에 거주하고 있다면 그 시간과 비용 절감, 그리고 아이디어의 브레인스토밍과 cross check로 인한 시너지는 어마어마할 것입니다. 이러한 메가시티에서 BTS 방탄소년단 같은 글로벌 히트 콘텐츠가 탄생할 수 있고, 글로벌 히트 콘텐츠는 또 하나의 관광자원이자 방문 또는 거주를 촉발하는 요인이 되어 고소득 거주자가 눈덩이처럼 더욱 불어나는 선순환 효과가 일어나게 됩니다.

전체 인구 수 증가세를 추월하는 1인 가구의 급격한 증가세 역시 부동산 매수 수요를 촉발하는 또 하나의 중요 요인입니다. 보건복지부의 통계자료에 따르면, 한국의 1인 가구는 전체 가구 수 1,936만 중 540만 가구로 그 비중은 27.9%에 달합니다. 이러한 1인 가구 수는 1995년에 164만 가구에 불과했으나, 2016년에는 540만 가구로 약 3.3배나 증가한 것입니다. 또한 통계청의 장래가구추계 발표자료에 따르면, 1인 가구 수는 지속적으로 증가하여 2045년에는 약 810만 가구에 이를 것으로 추정되고 있으며, 전체 가구 수 중 36.5%를 차지하여 3가구 중 1가구 이상이 1인 가구를 형성할 것으로 전망하고 있습니다.[7] 이러한 1인 가구 급증의 주원인은 미혼 독신가구의 증가 및 고령화로 인한 노인 단독가구의 증가 등이 주요 원인입니다.

---

7) 이인준 기자, 「[사회보장2017] 1인 가구 539.8만 명…2045년엔 3명 중 1명」, 뉴시스, 2018. 4. 5.

그런데, 사람 마음은 누구나 비슷합니다. 외국인이건 1인 가구이건 좁고 불편한 집에서 월세를 내고 살고 싶은 사람은 없을 것입니다. 누구나 경제적인 여유만 있으면 좀 더 좋은 집, 넓은 집, 새로운 집을 구입하여 살고 싶어지게 마련입니다.

이러한 트렌드 변화를 감안하지 않고 주택의 공급-수요를 단순히 내국인의 인구 수와 기존의 4인 가구 수로만 예측한다면 현실을 반영하지 않은 엉뚱한 주택 정책이나 투자 예측이 이루어지게 되는 것입니다.

전략 7

부동산을 움직이는 7大 변수들

⑤ 공급 감소의 원인: 노후주택 멸실량 증가, 규제 증가로 인한 공급 감소

수요 증가에 이어서 공급 감소에 대해서도 살펴보겠습니다. 주택산업연구원의 2018년 10월 18일 "주택시장 현황 분석 및 발전방안" 세미나 자료에 따르면, **서울 시내에서 최근 수년간 아파트 공급부족 누적 현상이 심각**하다고 발표한 바 있습니다. 구체적으로 서울의 아파트 수요는 연평균 4만 호로 전체 주택 수요의 약 74%를 차지하고 있는 데 비해, 공급은 연평균 3만 1,000호에 불과하였습니다. 이로 인해 2012~2017년의 6년간 누적된 공급 부족량이 무려 54,000호에 달했다고 합니다.

이러한 아파트 공급 대신 단독주택, 연립주택 등 비아파트 공급은 그나마 동 기간 동안 44,000호를 공급하여 약간의 숨통을 틔워 주기는 하였습니다. 하지만 이런 공급부족 현상으로 인해 새 아파트에 대한 선호 현상과 품귀 현상은 더욱 가중된 것입니다.

특히 통계청에 따르면 **서울 전체 주택의 약 50%, 단독주택의 90.7%, 아파트의 47.9% 등이 약 20년 이상으로 노후화된 주택**이어서 새 아파트 수요가 급증하고 있다고 합니다.

또한 서울의 신규 아파트 공급기반이던 정비사업구역이 최근 5년간 354구역이나 해세되어 아파트 공급 기반 자체가 급격하게 감소했습니다. 정비구역 지정은 주거환경개선사업이나 재개발 · 재건축 등 대규모 도심정비사업을 진행하기 위한 전초단계에 해당합니다. 정비사업을 위한 조합이나 사업시행 인가를 받기 전에 자세한 개발 계획이 수립되고 정비구역으로 지정되어 있어야 합니다. 해당 지역 주민이나 관할 구청에서 정비구역 해제를 요청한 것은 정비사업이 사실상 중단됐거나 앞으로도 진척될 가능성이 거의 없다고 판단했기 때문입니다. 사업성이 낮거나 주민 간 이해관계가 복잡하게 얽히면서 추진동력을 잃은 것입니다.

특히 박원순 서울시장은 취임 이후 도시 재생을 강조하며 정비구역 해제를 적극적으로 추진했습니다. 다수 전문가들의 연구 결과에 따르면 서울 전체 아파트 공급량에서 이렇게 정비사업으로 공급되는 아파트 비중이 적어도 약 70% 이상이라고 합니다. 따라서 정비사업구역 해제는 서울의 아파트 공급 부족 현상을 유발시킬 잠재 변수라고 할 수 있습니다.[8)]

이밖에도 양도소득세 및 종합부동산세 강화, 민간 택지 분양가 상한제, 주택 구입자금 출처 조사 등 공급을 감소시키려는 규제 조치는 현재 첩첩산중입니다.

---

8) 김흥록 기자, 「서울 年 3.8만 가구 공급부족…"재생서 개발로 출구전략 서둘러야"」, 서울경제, 2019. 12. 12.

부동산 114에 따르면 **2021년의 서울 아파트 입주 공급예정물량은 고작 21,739호에 지나지 않아 2012년 이후 9년 만에 최저치 수준**을 보일 것이라고 전망하고 있습니다.[9)]

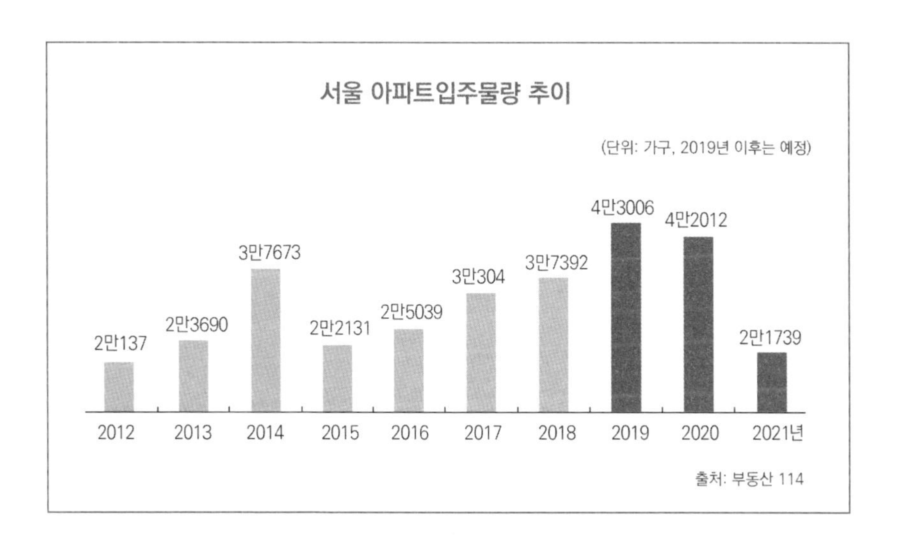

9) 김동효 기자, 「주책 인허가 착공 입주 '뚝'…서울 '공급 절벽' 코앞」, 이투데이, 2019. 12. 12.

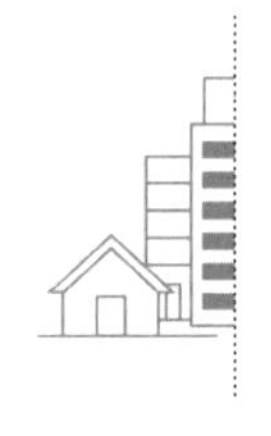

전략 8

부동산을 움직이는 7大 변수들

⑥ 심리변수: 양극화, 젊은층의 구입 증가

지금까지 살펴본 경제학 · 인구통계학적 변수 외에도 사람들의 심리적인 변수 역시 실제로 부동산 가격 변동에 매우 주요한 위치를 차지하고 있습니다. 쉬운 예를 들어 보겠습니다.

불과 6년 전인 2014년 박근혜 정부 시절에는 집값 하락으로 인한 역전세난(집값이 급격히 하락하여 거의 전세가격에 육박하는 상황)이 심각하여 연일 관련 뉴스로 도배가 되기도 하였습니다. 당시 신문 기사를 한번 보겠습니다.

2014. 10. 15.자 아시아경제 기사에 따르면, 경기 화성 수원시 일대 소형 아파트에서는 전세가율(매매가 대비 전세가 비율)이 97%에 달하는 등 수도권에서 전세가 상승세가 엄청나다는 현상을 보도하고 있습니다. 반면, 집값이 오를 기대감은 낮은데다 주택 매매 이후 보유세 부담을 최대한 줄이기 위해 전세만 고집하는 실수요자들로 인해 주택 매매가격은 계속 하락하고 있다는 것이 기사의 요지입니다.[10]

10) 한진주 기자, 「전세 매매 역전 코앞…내 전셋값이 위험해졌다」, 아시아경제, 2014. 10. 15.

불과 6년여밖에 지나지 않았지만 정말 과거에 그런 일이 있었나 싶을 정도로 까마득한 옛이야기처럼 느껴집니다.

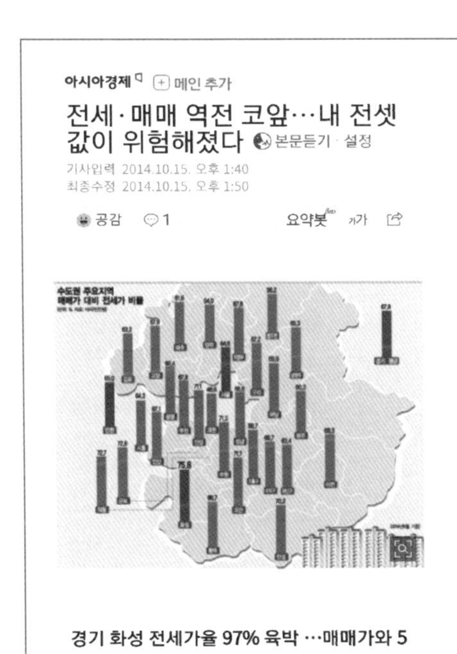

아시아경제 ⊕ 메인 추가

전세·매매 역전 코앞…내 전셋값이 위험해졌다 본문듣기 · 설정

기사입력 2014.10.15. 오후 1:40
최종수정 2014.10.15. 오후 1:50

공감 1 요약봇 가가

경기 화성 전세가율 97% 육박 …매매가와 500만원 차이

수원·평택 등 경부라인 전셋값 급등

집 경매 넘어가면 전셋값 돌려받기 어려워져

[아시아경제 한진주 기자] 매매가 대비 전세가 비율(전세가율)이 끝없이 고공행진하고 있다. 전셋값이 무섭게 오르면서 경기 화성·수원시 일대 소형아파트에서는 전세가율이 무려 97%에 달한 것으로 나타났다. 주인의 재무상태 악화로 집이 경매에 넘어갈 경우 전세금을 온전히 보장받지 못할 우려가 커졌다는 지적이 나온다.

15일 부동산114에 따르면 10월2주 시세를 기준으로 경기 화성시 진안동 주공그린빌10단지 전용면적 49㎡의 전세가율이 97%에 육박했다. 이 아파트의 평균 전셋값은 1억6250만원으로 매매가와 불과 500만원 차이다. 화성시 병점동 성호1차 59㎡도 매매가 1억6000만원, 전셋값 1억5500만원으로 전세가율 97%를 기록했다.

하지만 요즘은 어떤가요? 2019년 10월에 헤럴드경제가 부동산 114에 의뢰하여 집계한 자료에 따르면 서울의 평균 매매가격-전세가격 차이는 평당 1,275만 원으로 사상 최고 수준을 나타냈다고 합니다. 2015년의 509만 원에 비교하면 그 차이가 2.5배나 증가한 것입니다.

그 이유는 주로 갭투자(주택가격과 전세가격 간 차이가 적은, 이른바 갭이 적은 집을 전세를 끼고 사들이는 방식)의 성행 때문이라고 합니다. 이

로 인해 최근 집값은 갈수록 크게 오른 반면, 전세값은 안정화된 것입니다.[11]

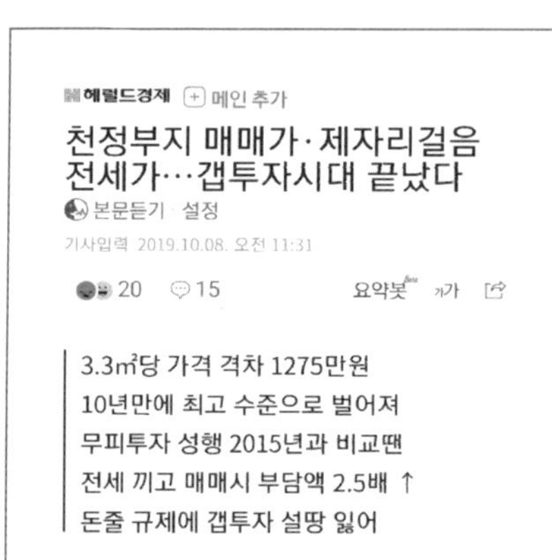

헤럴드경제 ⊕ 메인 추가

천정부지 매매가·제자리걸음 전세가…갭투자시대 끝났다

본문듣기 · 설정

기사입력 2019.10.08. 오전 11:31

20 15 요약봇 가가

3.3㎡당 가격 격차 1275만원
10년만에 최고 수준으로 벌어져
무피투자 성행 2015년과 비교땐
전세 끼고 매매시 부담액 2.5배 ↑
돈줄 규제에 갭투자 설땅 잃어

올해 9월 말 기준 서울 평균 매매가격·전세가격 차이는 3.3㎡당 1275만원으로 10년래 최고 수준을 보였다. [헤럴드경제DB]

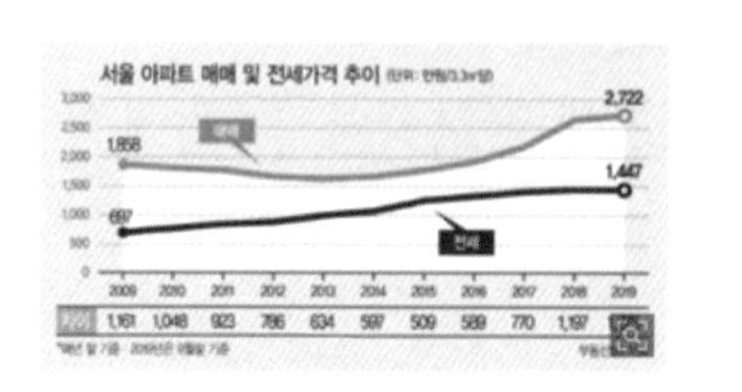

매매가격이 오르는 동안 전세가격은 제자리걸음을 하면서 서울지역의 3.3㎡당 갭투자 비용이 10년래 최고 수준에 도달했다. 갭투자는 주택가격과 전세가격 간 차이가 적은 집을 전세를 끼고 사들여 시세차익을 챙기는 투자방식이다. 게다가 정부가 갭투자자의 돈줄을 죄는 규제를 더하면서 사실상 '갭투자'의 시대가 저물고 있다는 해석도 나온다.

8일 헤럴드경제가 부동산114에 의뢰해 집계한 자료에 따르면 올해 9월 말 기준, 서울 평균 매매가격·전세가격 차이는 3.3㎡당 1275만원으로 10년래 최고 수준을 나타냈다.

이러한 갭투자는 최근 2~3년 사이에 주로 20~30대들이 서울과 경기도 지역에서 대출을 최대한 활용한 레버리지 투자 위주로 움직이면서 더욱 상승세를 타기도 했습니다. 집값이 더욱 높아질까 두려워하는 20 · 30대가 과도한 부채를 감수하며 주택 매입에 나선 것입니다. 과거에는 없었던 이런 젊은층의 구입 증가는 수도권 주택의 가격 양극화를 부추기는 효과가 있으며, 또한 양극화로 인해 젊은층은 불

11) 양영경 기자, 「천정부지 매매가 · 제자리걸음 전세가…갭투자시대 끝났다」, 헤럴드경제, 2019. 10. 8.

안감에 사로잡혀 더욱 적극적으로 레버리지 투자에 나서는 순환 효과가 발생하게 되었습니다.[12][13]

사람들이 잘 모르는 지역에서 갑자기 커피나 식사를 필요로 할 때 일반적으로 스타벅스나 맥도날드를 선택하는 것은 더 나은 것에 대한 적극적인 선택의 결과가 아니라 최악을 피하기 위한 안전한 선택에 나서기 때문입니다.[14] 나만 부동산 투자에 나서지 않는다면 뒤쳐지는 것 같은 심리가 부동산 시장을 더욱 끓어오르게 만든 것입니다.

---

12) 조성필 기자, 「20 · 30대 부동산임대업자 급증…갭투자 열풍 영향」, 경기일보, 2017. 8. 17.
13) 「5억짜리 집, 3억은 빚"…20 · 30대 집주인, 집값 절반 이상 차입」, 뉴시스, 2019. 11. 20.
14) 「사람들이 결국 스타벅스를 선택하는 이유, ㅇㅇㅇ 때문이다」, 웅진북적북적 네이버 블로그, 2018. 10. 23.

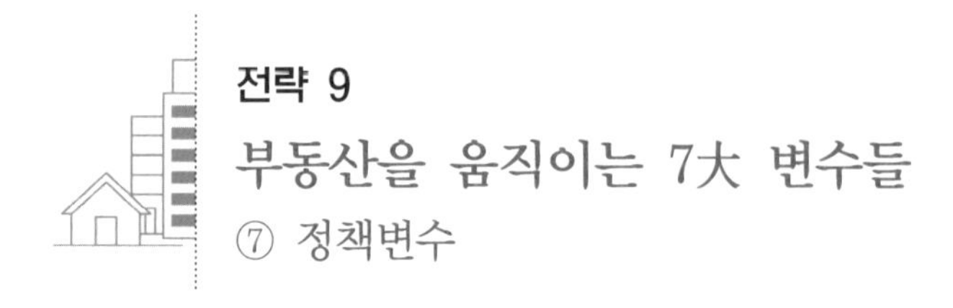

전략 9
부동산을 움직이는 7大 변수들
⑦ 정책변수

부동산을 움직이는 여러 변수들 중에서 가장 강한 것 같아 보이면서도, 반면에 가장 변동이 심하고 취약한 부분이 존재하는 변수가 바로 정책변수입니다. 정책변수가 가장 강해 보이는 이유는 엄청난 규제 폭탄을 일순간에 쏟아붓기도 하고 수백만 채의 신규 주택 공급을 결정해 버리기도 하기 때문입니다.

이렇게 변동이 심한 근본적인 이유는 역대 정권이 바뀌면 지향하는 정책 목표가 널뛰기 하듯이 바뀌며 규제-완화를 손바닥 뒤집듯이 바꿔왔기 때문이며, 취약한 부분이 존재한다는 의미는 그러다가도 정권의 임기 말이 되면 기존의 정책을 포기하거나 대폭 손질하여 중도층의 표심을 잡기 위해 나서는 일이 자주 있었기 때문입니다.

2017년 5월 10일에 출범한 문재인 정부가 총 18차례에 걸쳐 쏟아낸 부동산 정책을 나열해 보면 다음과 같습니다.

온갖 규제를 동원하여 부동산 가격을 진정시키려 했지만, 막상 시장에서의 반응은 더욱 과열 상승 양상을 보이며 정책에 대항하는 모습을 보이다가 2019년 12월 16일에 발표된 12 · 16 대책에 이르러서야 강남권 위주로 잠시 주춤한 상태를 유지하고 있습니다. 그리고 코로나 사태와 더불어 각종 규제책이라는 더블 펀치를 맞은 2020년에는 드디어 본격적인 하락세가 점쳐지고 있습니다.

	일자	대책명	주요 내용 요약
1	2017.6.19.	6 · 19 대책	LTV 70% → 60% 축소 및 전매제한 강화
2	2017.8.2.	8 · 2 대책	• 투기지역, 투기과열지구 지정 및 재당첨 제한 • 조합원 지위 양도 금지 • 조정지역 다주택자 양도세 중과, 금융대출 규제 강화 • 재건축 초과이익 환수, 청약요건 강화
3	2017.9.5.	9 · 5 추가 조치	성남 분당, 대구 수성구 투기과열지구 추가 지정
4	2017.10.24.	가계부채종합대책	대출 총량 측면 리스크 관리
5	2017.11.29.	주거복지로드맵	공적 임대주택 100만 호 공급, 분양주택 공급확대
6	2017.12.13.	임대주택 등록 활성화 방안	임대사업자에 대해 지방세, 소득세, 양도세 감면
7	2017.12.14.	도시 재생 시범사업	도시 재생 뉴딜 시범사업 대상지 68곳 확정 발표
8	2018.2.20.	재건축 안전진단 강화	구조안전성 평가 가중치 상향, 주거환경평가 가중치 하향
9	2018.7.5.	신혼부부 · 청년 주거지원 방안	신혼희망타운 공급 물량 10만 가구로 확대
10	2018.7.6.	종합부동산세 개편	• 과세표준 6억 원 초과 시 종부세 세율이 최고 2%에서 2.5%로 인상됨. • 3주택 이상 보유자는 과세표준 6억 원 초과시 0.3% 추가 과세됨.
11	2018.8.27.	8 · 27 대책	주택공급확대 및 투기지역 지정을 통한 시장안정 기조 강화
12	2018.8.29.	실수요자 금융지원방안	신혼/다자녀가구 보금자리론 소득요건 완화

	일자	대책명	주요 내용 요약
13	2018.9.13.	9 · 13 대책	종부세 강화, 양도세 강화, 임대사업자 혜택 축소
14	2018.9.21.	주택공급대책	3기 신도시 계획 발표, 신혼희망타운 조기 공급
15	2018.12.19.	주택공급대책 확대	3기 신도시 추가 지정(과천, 계양, 교산, 왕숙)
16	2019.5.7.	주택공급대책 확대	3기 신도시 추가 지정(창릉, 대장)
17	2019.11.6.	민간택지 분양가 상한제 적용	강남 4구와 마포, 용산, 성동, 영등포구 내 27개 동을 '민간택지 분양가 상한제' 적용지로 발표
18	2019.12.16.	12 · 16 부동산종합대책	• 투기지역, 투기과열지구 주택담보대출 관리 강화 • 시가 9억 원 초과 주택 담보대출 LTV 40% → 20%로 축소 • 시가 15억 원 초과 초고가 아파트 주택담보대출 금지 • 투기지역 내 주택임대업 외 업종의 주택구입용 담보대출 금지 • 전세대출 이용한 갭투자 방지를 위해 전세대출 후 9억 원 초과 주택 구입시 대출 회수

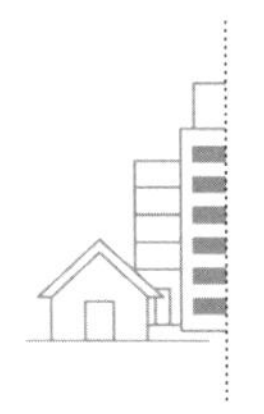

전략 10
부동산의 Long Position과 Short Position은?

주식 투자에는 Long Position과 Short Position이라는 투자 방식이 존재합니다.

장기보유투자는 Long Position이고, 주식의 하락을 대비해서 미리 공매도하여 주가하락 시 그 차익을 이익으로 실현하는 방식을 Short Position이라고 합니다. 그리고 주식을 현재 보유하지 않고 있으면 주가 변동과 무관한 중립 태도 Neutral Position이 됩니다.

이를 부동산 투자에 적용하면 어떻게 볼 수 있을까요? 부동산에서의 **중립 태도 Neutral Position은 본인이 거주할 주택 1채를 기본적으로 소유하고 있는 경우**를 말한다고 할 수 있습니다. 부동산 시장이 상승하든 하락하든 실거주용 주택 1채는 내 생활에 일종의 필수품이므로 개인적인 이익 · 손실과는 무관한 것입니다.

이러한 관점에서 보면, **매수 태도 Long Position은 주택을 2채 이상 보유한 경우**를 말합니다. 이것이 투자인지 투기인지는 일단 논외로 치죠.

그럼 부동산의 매각 태도 Short Position은 무엇일까요? 그것은 주택 가격의 하락을 기대하며 주택을 1채도 보유하지 않고 전세 또는 임대로 거주하고 있는 상황인 것입니다. 독자께서는 이 중에서 어떤 Position을 선택할 것인가요? 그 선택은 각자의 자유이겠으나, 적어도 Short Position과 같이 공격적이고 Risky한 선택은 하지 않기를 바랄 뿐입니다.

코로나 이후 전략 - Coronacus' Strategy

위험요인

- 불경기로 인한 수요감소, 가격하락
- 정책변수 및 세금 증가
- 경제 전반의 변동성 증가
- 임대사업자 보유물건 Risk 증가
  (전세보증금 환급, 임대료 하락 및 미지급)

긍정요인

- 급매물 증가
- 공급 감소
- 현금가치 증가
- 금리인하, 유동성 증가

코로나 이후의 부동산 전략을 수립하는 데 도움이 될 수 있었으면 하고 현재 부동산 투자에 미칠 상황을 위협요인과 긍정요인으로 나누어 정리해 보았습니다.

확실한 것은 위협요인이 긍정요인보다 커 보입니다. 조심, 또 조심해야 할 것은 분명하나, 앞서 들어가는 글 및 Part 01에서 계속 설명했듯이 언젠가는 경제성장률에 수렴하여 회복될 것으로 예측합니다. 경제성장률 수치를 바탕으로 부동산 시장의 바닥 수준이 확인되면 곧바로 전략의 재수립에 대한 준비를 할 필요가 있을 것입니다.

부동산 정책은 어떻게 진행되어 왔고 어떤 영향을 미쳤을까?

Policy

정책 ① 주택 정책과 집값 변동률

정책 ② 서울 아파트 가격은 언제, 어떻게 변동했을까

정책 ③ 정책결정권자들의 속마음이 궁금해

정책 ④ 김수현 前 청와대 정책실장의 저서 「부동산은 끝났다」 주요 내용

정책 ⑤ 어떤 주택 정책의 결과(2017. 12. 13. 임대주택 활성화 방안)

정책 ⑥ 임대업 규제책 시행(2018. 9. 13. 대책)

정책 ⑦ 서울 외곽 위주 공급-3기 신도시 정책 (2018. 12. 19. & 2019. 5. 7.)

정책 ⑧ 토지보상금은 어디로?

정책 ⑨ 대출규제로 가격 상승 방지(2019. 12. 16.) 및 전세대출도 규제(2019. 12. 20.)

정책 ⑩ 수도권 공급 대책(2020. 5. 6.), 토지공개념, 부동산 국민공유제

코로나 이후 정책 Coronacus' Policy

Part 02

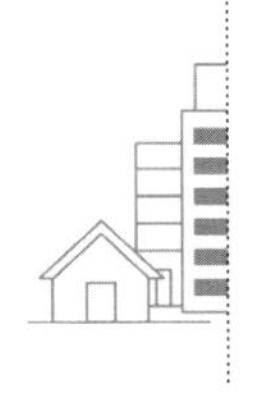

정책 1
주택 정책과 집값 변동률

이제 앞 장에 이어서 부동산 투자시의 정책변수에 관해 좀 더 설명해 보겠습니다. 최근 한국의 부동산 정책은 대통령 선거의 결과에 따라, 좀 더 구체적으로는 선출된 대통령의 소속 정당과 주요 지지층에 따라 크게 변동되어 온 것이 현실입니다. 단적으로 노태우~문재인 정부에 이르기까지의 주요 부동산 정책과 집값 변동률을 요약해보면 다음과 같습니다.[15]

15) 정다운 기자, 「文정부 부동산 정책 무엇이 문제인가-재건축 잡으려다 시장 혼란만 부추겨 대출 규제는 실수요 내집마련 발목잡아」, 매일경제, 2019. 10. 4.

정권마다 집값 얼마나 오르고 내렸나?

〈단위: %, 가구〉

구분		노태우 정부	김영삼 정부	김대중 정부	노무현 정부	이명박 정부	박근혜 정부	문재인 정부
부동산 정책		주택 200만 가구 건설	부동산 실명제 도입	양도소득세 감면, 전매제한 폐지 등 전면적인 부양책	종합부동산세 시설, 재건축 초과이익환수제 도입 등 규제	부동산 관련 세제 완화	가계 부채 관리, 청약조정대상 지역 지정	다주택자 양도소득세 중과, 종부세 추가 과세, 재건축 규제 등
		1988. 2.~ 1993. 2.	1993. 2.~ 1998. 2.	1998. 2.~ 2003. 2.	2003. 2.~ 2008. 2.	2008. 2.~ 2013. 2.	2013. 2.~ 2017. 3.	2017. 5.~ 현재
집값 변동률	전국	43.4	-2	19.3	24.1	13	8.6	14.7
	서울	42.2	-2.8	33.2	42.9	1.9	7.5	42.2
주택 공급량		271만 8,012	312만 5,797	234만 629	253만 8,118	227만 6,092	244만 6,743	?

*자료: KB국민은행, 주택산업연구원

이상과 같은 정책에서 혹시 눈에 띄는 점을 찾았나요? 필자는 한마디로 각 정부의 부동산 정책을 보수–완화, 진보–규제라는 키워드로 설명하고 싶습니다. 보수 정권은 주로 건설 · 완화 위주의 정책을, 진보 정권은 규제 · 강화 위주의 정책을 펼친다는 점입니다.

특히 과거 이명박 정부의 핵심 정책이었던 보금자리주택은 시세보다 80% 이상 싼 아파트를 매년 15만 가구씩 2018년까지 150만 가구를 공급한다는 계획이었습니다. 이로 인해 많은 일반 시민들은 앞으로 있을 보금자리주택 청약만을 기다리느라 기존 부동산 매수에는 거의 관심을 기울이지 않았습니다. 이 외에도 이명박 정부는 출범하면서부터 줄곧 각종 부동산 규제를 푸는 데 집중했습니다. 대표적인 것이 세금 부담을 덜어주는 정책입니다. 거래활성화를 위한 방법으로 다주택자를 포함해 부동산을 소유하고 거래할 때 드는 세금을 대폭 깎아줬습니다.

구체적으로는 2008년 이명박 정부 출범과 동시에 종합부동산세 인하 정책으로 세율을 낮췄고, 과세기준을 6억 원에서 9억 원으로 높였습니다. 그 결과 종부세 징수액은 이명박 정부 출범 초기 2년간 50% 이상 감소했습니다. 다주택자에 대한 양도세 중과 및 적용도 유예시켰고, 1가구 1주택자 양도세 과세기준도 6억 원 초과에서 9억 원 초과로 높였습니다. 2014년 9월 10일에는 '미분양 주택 구입 후 5년간 양도세 면제'와 '취득세 50% 감면' 대책을 발표하기도 했습니다. 이명박 정부는 이런 식으로 2008~2014년의 5년간 20여 차례나 각종 세제 완화 정책을 펼쳤습니다.[16]

노무현 정부의 주요 부동산 정책

시기		내용
2003	10. 29.	종합부동산세 도입, 다주택양도세 강화, LTV 규제 강화
2005	8. 31.	양도소득세 강화, 실거래가 신고 의무화
2006	3. 3.	DTI 도입, 재건축 개발부담금제 도입
	11. 15.	LTV 규제 강화
2007	1. 11.	청약 가점제 시행, 민간택지 분양가 인하

〈노무현 정부의 주요 부동산 정책/땅집고〉

16) 박일한 기자, 「이명박 정부, 집값은 떨어지고 전셋값만 폭등」, 중앙일보, 2012. 12. 24.

이명박 정부의 주요 부동산 정책

시기		내용
2008	6. 11.	지방 미분양 구입시 취득세 감면, 1가구 2주택자 인정기간 연장
	8. 21.	재건축 조합원 지위 양도 금지, 후분양제 폐지, 수도권 전매제한 완화
	9. 1.	양도세 비과세 고가주택기준 상향조정, 상속 및 증여세율 인하
	9. 19.	2018년까지 연평균 50만 공급, 서민 공급 위해 그린벨트 해제
	9. 22.	수도권 투기지역, 투기과열지구 조정
	11. 3.	재건축 용적률 상향, 소형 평형 의무비율 조정, 강남3구 투기지역 및 투기과열지구 해제
	12. 5.	다주택자 양도세 중과 한시적 완화, 종부세 부과기준 완화
2009	1. 23.	토지거래허가구역 해제
	8. 27.	2012년까지 보금자리주택 32만 가구 공급
2010	4. 23.	미분양 주택 4만 가구 감축
	8. 29.	다주택 양도세 중과 완화 2년 연장, 취 · 등록세 감면 1년 연장
2011	12. 7.	서울 및 수도권 1가구 1주택 양도세 비과세 요건 완화
2012	5. 10.	다주택자 양도세 중과제도 폐지

〈이명박 정부의 주요 부동산 정책/땅집고〉

박근혜 정부의 주요 부동산 정책

시기		내용
2013	4. 1.	양도세 5년간 면제, 리모델링 수직증축 허용
	12. 3.	행복주택 축소, 공유형 모기지 사업 시행
2014	7. 24.	주택담보대출 완화
	9. 1.	재건축 연한 완화
2015	1. 13.	기업형 임대주택 '뉴스테이' 도입
2016	4. 28.	행복주택, 뉴스테이 공급물량 2017년까지 30만 가구 확대

〈박근혜 정부의 주요 부동산 정책/땅집고〉

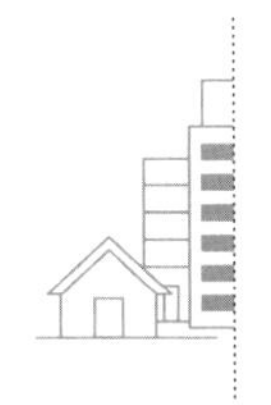

정책 2
서울 아파트 가격은 언제, 얼마나 변동했을까

아래 그림은 경실련에서 2019. 10. 1.자로 발표한 보도자료 중 일부입니다.[17] 경실련이 부동산뱅크와 국민은행 부동산시세자료를 활용하여 분석한 바에 따르면, 문재인 정부 2.4년(2019년 10월 현재) 동안 강남의 아파트 시세는 평균 5.1억 원, 강북도 2.3억 원이 상승했습니다. 99년부터 산출하면 강남 아파트 시세가 2.2억 원에서 16.2억 원으로 7.4배가 폭등했습니다. 참고로 같은 기간 동안 노동자 평균임금은 2.4배 상승에 그쳤습니다.

정권별로는 노무현 정부에서 강남 아파트가 평당 2,257만(5.6억) 원 상승했고, 문재인 정부 2.4년 동안 2,034만(5.1억) 원이 상승했습니다. 연간 상승액으로는 노무현 정부에서 강남은 451만(1.1억) 원, 문재인 정부는 814만(2.0억) 원으로 2배 더 빠르게 상승하고 있습니다. 이러한 현상으로 인해 아파트값이 단기간에 가장 많이 상승한 정권은 문재인 정부이고, 그 다음은 노무현 정부라고 경실련에서는 지목하고 있습니다.

---

17) 「문재인 정부 역대 정권 중 집값 상승 최고」, 경실련 보도자료, 2019. 10. 1.

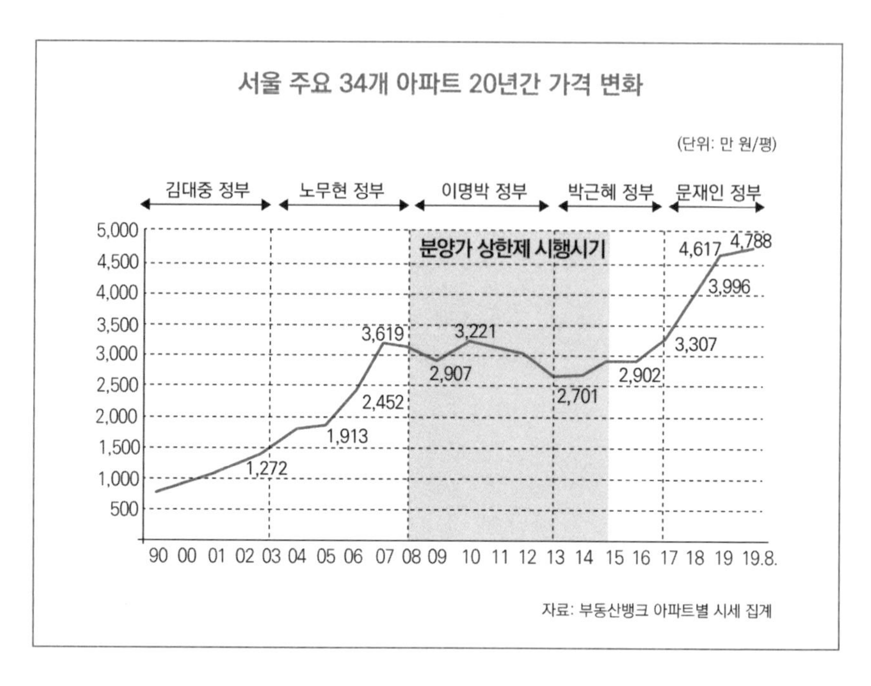
서울 주요 34개 아파트 20년간 가격 변화
(단위: 만 원/평)
김대중 정부
노무현 정부
이명박 정부
박근혜 정부
문재인 정부
분양가 상한제 시행시기
5,000
4,500
4,000
3,500
3,000
2,500
2,000
1,500
1,000
500
1,272
1,913
2,452
3,619
2,907
3,221
2,701
2,902
3,307
3,996
4,617
4,788
90 00 01 02 03 04 05 06 07 08 09 10 11 12 13 14 15 16 17 18 19 19.8.
자료: 부동산뱅크 아파트별 시세 집계

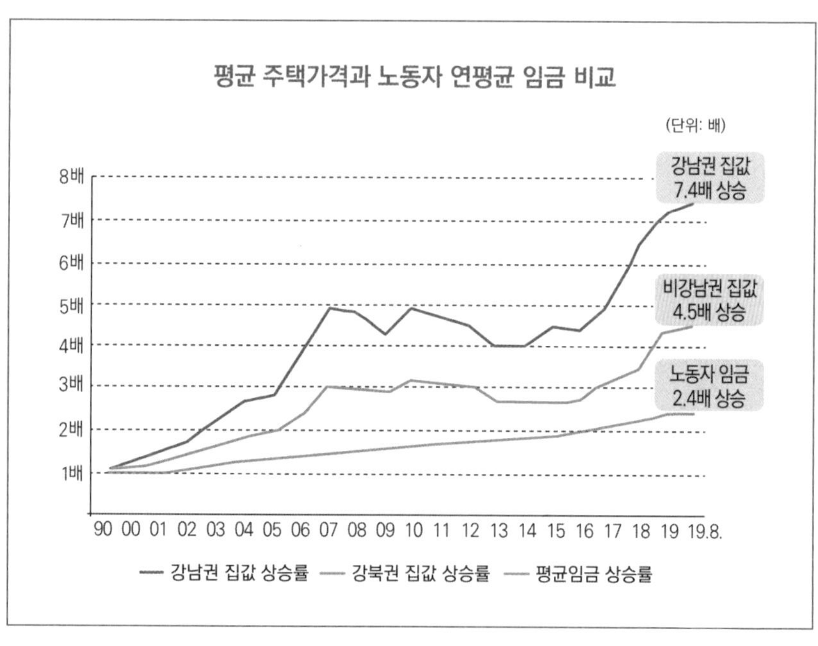
평균 주택가격과 노동자 연평균 임금 비교
(단위: 배)
8배
7배
6배
5배
4배
3배
2배
1배
강남권 집값
7.4배 상승
비강남권 집값
4.5배 상승
노동자 임금
2.4배 상승
90 00 01 02 03 04 05 06 07 08 09 10 11 12 13 14 15 16 17 18 19 19.8.
강남권 집값 상승률
강북권 집값 상승률
평균임금 상승률

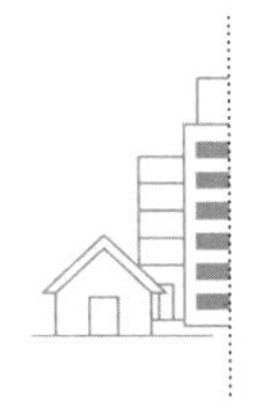

정책 3

정책결정권자들의 속마음이 궁금해

2020년 1월에 서울신문에서 고위 공직자 763명이 소유한 부동산 주소지를 전수조사한 결과, 대한민국 행정·입법·사법 3부의 고위 공직자가 소유한 집(1,010채) 3채 중 1채는 강남 3구(강남·서초·송파)에 몰린 것으로 나타났습니다.

특히 지방을 뺀 서울 집(574채)으로만 따져 보면, 이 중 절반이 넘는 57.7%(331채)가 강남 3구에 있었습니다. 고위 공직자들이 '강남 공화국'에 살고 있다는 현실이 적나라하게 드러난 것입니다.[18]

---

18) 나상현·김동현 기자, 「文정부 엘리트들의 '강남 원샷 원킬'…서울 소유 집 57% 쏠림」, 서울신문, 2020. 1. 14.

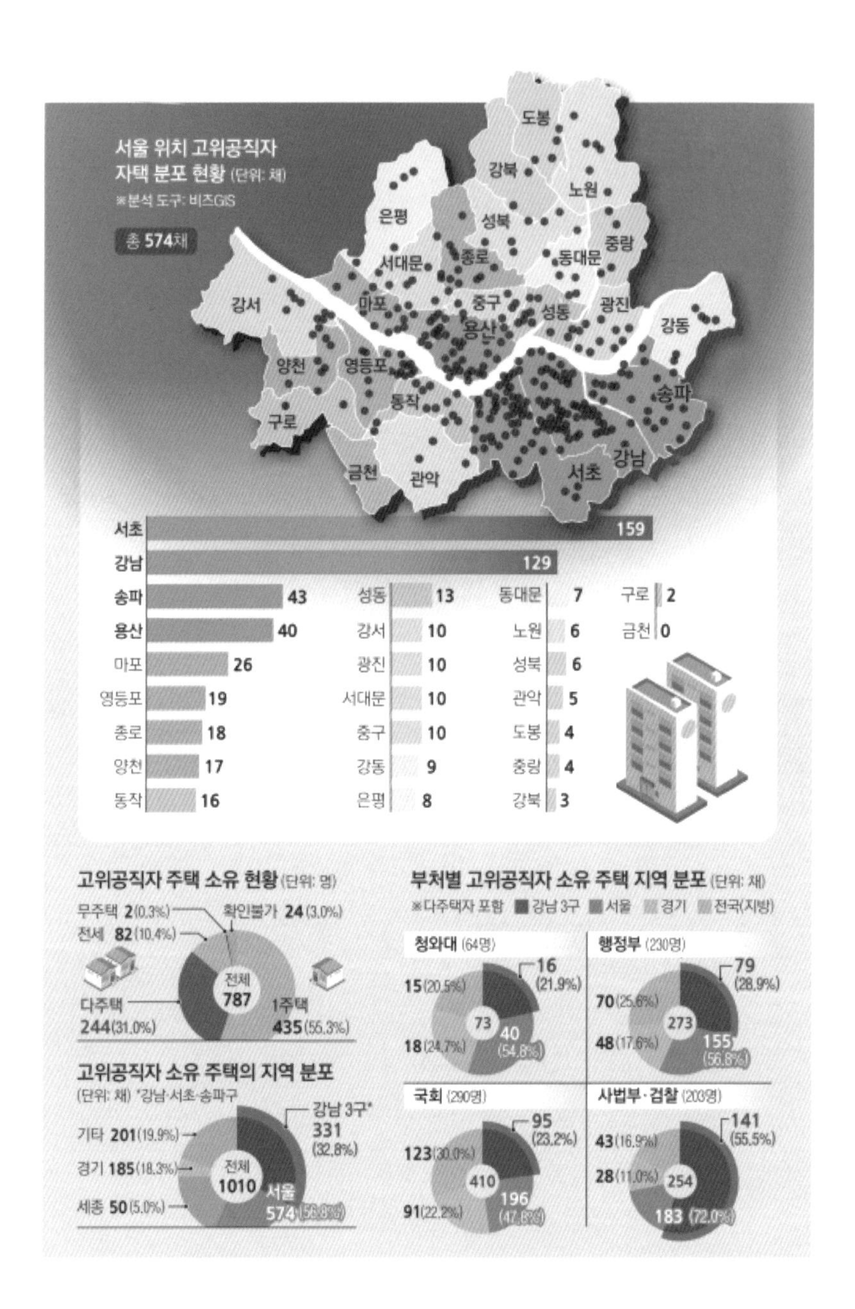
서울 위치 고위공직자
자택 분포 현황 (단위: 채)
※분석 도구: 비즈GIS
총 574채
도봉
강북
노원
은평
성북
중랑
서대문
종로
동대문
강서
마포
중구
성동
광진
용산
강동
양천
영등포
송파
동작
구로
강남
서초
금천
관악
서초 159
강남 129
송파 43
용산 40
마포 26
영등포 19
종로 18
양천 17
동작 16
성동 13
강서 10
광진 10
서대문 10
중구 10
강동 9
은평 8
동대문 7
노원 6
성북 6
관악 5
도봉 4
중랑 4
강북 3
구로 2
금천 0
고위공직자 주택 소유 현황 (단위: 명)
무주택 2(0.3%)
확인불가 24(3.0%)
전세 82(10.4%)
전체 787
다주택 244(31.0%)
1주택 435(55.3%)
고위공직자 소유 주택의 지역 분포
(단위: 채) *강남·서초·송파구
강남 3구* 331 (32.8%)
기타 201(19.9%)
경기 185(18.3%)
전체 1010
세종 50(5.0%)
서울 574 (56.8%)
부처별 고위공직자 소유 주택 지역 분포 (단위: 채)
※다주택자 포함 강남 3구 서울 경기 전국(지방)
청와대 (64명)
16 (21.9%)
15(20.5%)
73
18(24.7%)
40 (54.8%)
행정부 (230명)
79 (28.9%)
70(25.6%)
273
48(17.6%)
155 (56.8%)
국회 (290명)
95 (23.2%)
123(30.0%)
410
91(22.2%)
196 (47.8%)
사법부·검찰 (203명)
141 (55.5%)
43(16.9%)
28(11.0%)
254
183 (72.0%)

정부부처 공직자	아파트	신고가격 (정부공직자윤리위원회 재산신고 기준. 2018. 3. 29.)	실거래가 변화 (국토부 실거래가 공개시스템)
김동연 경제부총리	강남구 도곡동 도곡렉슬 59.98㎡	5억 8,800만 원	9억 원(2017. 5.) → 12억 원(2018. 8.)
김상곤 사회부총리	강남구 대치동 래미안대치팰리스 94.49㎡	11억 4,400만 원	2억 원(2017. 9.) → 23억 7,000만 원(2018. 3.)
최종구 금융위원장	송파구 잠실동 잠실엘스 119.92㎡	9억 6,000만 원	16억 5,000만 원(2017. 5.) → 21억 4,000만 원(2018. 7.)
김상조 공정거래위원장	강남구 청담동 오페라하우스 2차 120.20㎡	7억 1,200만 원	11억 5,000만 원(2017. 5.) → 13억 1,000만 원(2017. 12.)
이효성 방송통신위원장	강남구 개포동 개포주공 1단지 49.55㎡	8억 5,600만 원	13억 원(2017. 10.) → 16억 3,000만 원(2018. 4.)
백운규 산업통상자원부 장관	강남구 대치동 개포우성2차 169.15㎡	14억 9,600만 원	22억 8,500만 원 (2017. 10., 127.78㎡) → 29억 1,000만 원 (2018. 5., 127.78㎡)
고형권 기획재정부 차관	강남구 청담동 뉴현대리버빌 163.45㎡	6억 8,800만 원	8억 7,000만 원 (2017. 10., 115.84㎡) → 9억 5,000만 원 (2018. 3., 115.84㎡)
손병석 국토부 차관	서초구 방배동 삼익아파트 151.54㎡	7억 3,900만 원 매도	
	강남구 대치동 쌍용대치 120.76㎡ 중 60.35㎡	8억 2,500만 원 매입	

청와대 공직자	아파트	신고가격 (정부공직자윤리위원회 재산신고 기준. 2018. 3. 29.)	실거래가 변화 (국토부 실거래가 공개시스템)
조국 민정수석	서초구 방배동 삼익아파트 151.54㎡	7억 7,400만 원	13억 4,000만 원(2016. 6.) → 15억 원(2018. 1.)
김수현 사회수석비서관	경기도 과천시 별양동 주공6단지 82.69㎡	6억 4,800만 원	10억 4,500만 원(2017. 11.) → 12억 9,000만 원(2018. 8.)
장하성 정책실장	송파구 잠실동 아시아선수촌 134.48㎡	12억 5,600만 원	16억 6,000만 원(2016. 11.) → 23억 7,000만 원(2017. 11.)
주영훈 경호실장	서초구 반포동 반포자이 84.94㎡	11억 1,200만 원	18억 4,000만 원(2017. 10.) → 23억 5,000만 원(2018. 8.)
김현철 경제보좌관	강남구 대치동 삼성아파트 109㎡	8억 8,800만 원	8억 9,000만 원 (2017. 10., 84.67㎡) → 12억 1,500만 원 (2018. 8., 84.67㎡)
박형철 반부패비서관	송파구 잠실동 갤러리아팰리스 151.99㎡	8억 원	13억 2,500만 원(2017. 11.) → 16억 7,000만 원(2018. 7.)
	서초구 잠원동 신반포2차 지분 137.16㎡ 중 22.86㎡	2억 2,650만 원	
신지연 해외언론비서관	서초구 서초동 유원아파트 지분 105㎡ 중 84.82㎡	5억 3,300만 원	
윤성원 도시주택비서관	강남구 논현동 경남논현아파트 83.72㎡	4억 1,200만 원	6억 원(2017. 10., 59.56㎡)
조용우 국정기록비서관	강남구 개포동 현대1차 128.64㎡	8억 6,400만 원	
조한기 의전비서관	송파구 잠실동 잠실엘스 84.88㎡	7억 1,000만 원	13억 9,500만 원(2017. 9.) → 16억 5,000만 원(2018. 7.)

또한 위 표의 내용은 뉴데일리에서 2018년 9월 현재 문재인 정부의 고위 공직자들이 보유한 강남 아파트의 내역과 시세를 분석한 기사 내용 중 일부입니다.[19)]

이렇게 강남 아파트를 선호하는 공직자들이 과연 일반 서민을 위해 부동산 가격 안정 정책을 펼칠 수 있을까요? 백 보 양보해서 고위 공직자 본인들은 사심없이 정책을 펼치고 싶어한다고 치더라도, 그들의 배우자나 자녀들의 생각도 그러할까요? 쉽게 믿기 어려운 일입니다.

---

19) 김동우 기자, 「부동산 잡는다고?…정부 실세들, 집값 폭등 '대박' 1년 새 장하성 7억, 김동연 3억, 최종구 5억 올라…조국, 김수현 아파트는 재건축 예정」, 뉴데일리, 2018. 9. 4.

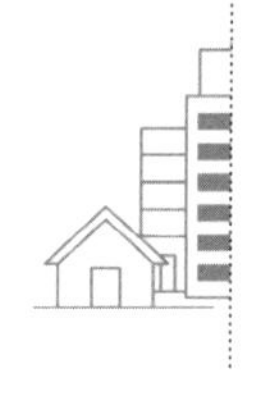

정책 4
김수현 前 청와대 정책실장의 저서 「부동산은 끝났다」 주요 내용

문재인 정부의 부동산 관련 경제정책을 입안하고 지휘했다고 알려진 김수현 전 청와대 정책실장이 2011년에 낸 책 「부동산은 끝났다」의 주요 내용을 한번 살펴보겠습니다.

참고로 그가 보유한 과천 주공 6단지 아파트는 재건축 이슈가 있는 데다가, 과천이 분양가 상한제 적용지역에서 빠지면서 특혜 논란이 일었고 급등하게 된 곳이기도 합니다.

김 전 실장이 재산공개 당시 6억 4,800만 원으로 신고한 27평(82.69m²) 아파트는 2017년 초 8~9억 원 선이었는데 2019년 12월 현재 20억 원(39평 배정 기준)을 호가한다고 해당 지역 부동산 관계자로부터 취재한 기사 내용이 있습니다.[20] 불과 2년여 동안 대략 11~12억 원이 올랐다는 얘기입니다.

20) 장세정 기자, 「"집값 안정적"이라던 김수현 집 약 12억 올라…분노의 부동산」, 중앙일보, 2019. 12. 10.

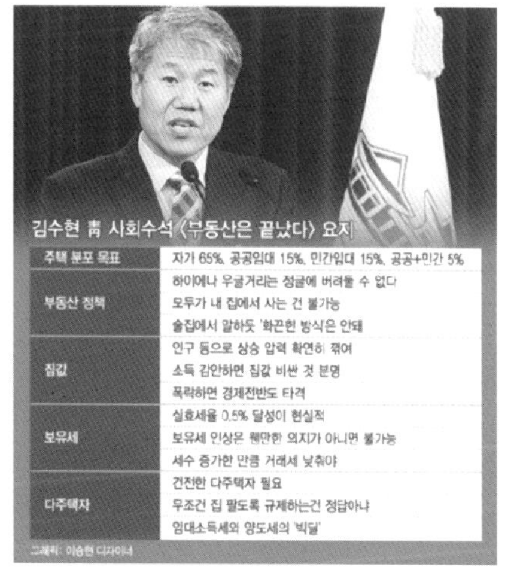
김수현 靑 사회수석 〈부동산은 끝났다〉 요지

주택 분포 목표	자가 65%, 공공임대 15%, 민간임대 15%, 공공+민간 5%
부동산 정책	하이에나 우글거리는 정글에 버려둘 수 없다
	모두가 내 집에서 사는 건 불가능
	술집에서 말하듯 '화끈한 방식'은 안돼
집값	인구 등으로 상승 압력 확연히 꺾여
	소득 감안하면 집값 비싼 것 분명
	폭락하면 경제전반도 타격
보유세	실효세율 0.5% 달성이 현실적
	보유세 인상은 웬만한 의지가 아니면 불가능
	세수 증가한 만큼 거래세 낮춰야
다주택자	건전한 다주택자 필요
	무조건 집 팔도록 규제하는건 정답아냐
	임대소득세와 양도세의 '빅딜'

그래픽: 이승현 디자이너

1. (부동산) 보유세는 필요하다. 다만, 집값을 잡기 위한 정책이라기보다 조세 정의의 차원에서 필요한 것이다.

2. 일부에서는 집값 상승이 공급부족 때문이라고 주장하지만 그렇지 않다. 부동산에 대한 과다한 집착, 부실한 세제 등 여러 요인이 겹친 문제이다.

3. 국민 모두가 자가 소유를 하는 것이 절대 선은 아니다. 공공임대이든 민간임대이든 임대로 사는 것도 좋은 방법이다. 자가 소유의 경우 부채를 많이 져야 하고 가격 거품을 유발시킨다. 정부가 임대료 제도만 안정적으로 잘 구축한다면 임대 주택도 좋은 내 집 마련 방법이다.

4. 다주택자는 임대주택을 무조건 등록하도록 하고 임대수익 세금부과 및 임대료 상승 제한 등으로 안정적인 임대제도를 구축해야 한다.

5. 부동산 전문가나 언론 등은 각자의 입장이 있기 때문에 너무 현혹되지 말자.

6. 중대형 아파트가 밀집된 곳에 사는 고소득층은 한나라당에 주로 투표했다. 저소득층은 투표장에 잘 나서지 않으며 거주지가 아파트로 재개발되면 투표 성향도(보수 지지 성향으로) 확 달라진다.

이후 이분의 이러한 부동산 관련 견해가 상당히 반영된 것으로 추측되는 부동산 정책이 탄생하여 시행되었습니다. 그것이 구체적으로 어떤 정책인지는, 다음 장에서 설명하도록 하겠습니다.

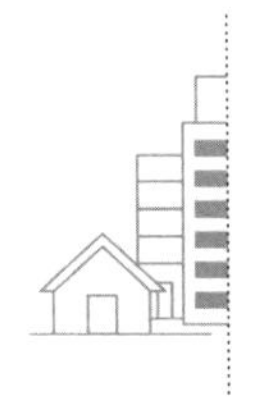

정책 5
어떤 주택 정책의 결과
(2017. 12. 13. 임대주택 활성화 방안)

앞 장에서 보았듯이 현 정부의 임대주택 활성화 방안이 어떤 분들의 어떤 철학과 정책 배경으로 등장했는지 충분히 미루어 짐작할 수 있으리라 생각됩니다. 그런데, 비록 나름대로(?) 좋은 의도에서 시행한 제도라 이해하더라도 임대주택 활성화 방안은 국내 부동산 시장에 심각한 영향을 미친 정책임이 분명합니다.

초기 대한민국 건국 역사에서 1949년 6월에 전격적으로 시행된 농지개혁법은 자영농 육성과 농업생산력 증진으로 인한 농민생활의 향상 목적으로 농지를 농민에게 적절히 유상분배함으로써 한국의 경제 사회적 구조에 엄청난 영향을 미쳤습니다. 1949년 당시에는 남한 인구의 70%가 농민이었으며, 그중 80%가 소작농이었습니다. 이들은 소작지를 쥐고 있는 지주(한민당)의 정치 · 경제적 영향력으로부터 벗어나기 어려웠습니다. 그리고 이들은 심정적으로 무상몰수 · 무상분배 방식의 농지개혁을 부르짖는 좌파(남로당)에 동조하고 있었습니다.[21)]

---

21) 배영대 · 원낙연 · 임장혁 기자, 「[건국60주년] 농지개혁…땅 갖게 된 농민 '대한민국 국민' 정체성도 갖게 돼」, 중앙일보, 2008. 8. 27.

당시 시행된 토지개혁의 주요 내용은 ▶ 농지의 소유 상한은 3정보(약 3만㎡) ▶ 초과 농지는 유상매입 · 유상분하를 원칙으로 ▶ 지주에게 평년작의 150%를 지가증권으로 지급 ▶ 농민은 30%씩 5년간 분할 상환함 등이었습니다. 49년부터 실질적인 행정절차에 들어간 농지개혁은 한국전쟁 전까지 대상 농지의 70~80%를 분배할 정도로 '의외로' 순조롭게 이뤄졌습니다. 그 결과 해방 직후 농지의 65%나 차지하던 소작지는 51년 8%까지 줄어들었습니다.

이 토지개혁으로 인해 난생 처음 내 땅을 갖게 된 사람들은 자유당 정권과 이승만 대통령에 대해 무한한 감사를 가지게 되었고, 이 감사하는 마음은 6.25 전쟁시에 북한군과의 전면전에서 자기 땅을 지키기 위해 목숨바쳐 싸우는 원동력으로 작용하게 됩니다.

이렇게 소수의 지주가 부동산을 점유하는 현실을 타개하고 간신히 대다수 일반 국민의 소유로 돌려놓았던 대한민국의 정책적 방향성을 약 70년 뒤인 현 정부는 180도로 전환시켰습니다. 소위 '정책의 역주행'이라고나 할까요. 소수의 임대사업자에게 온갖 특혜를 몰아주고 부동산 매수를 독려한 결과, 주택의 매점매석이 급격히 일어났고 이는 현 정부하에서 주택 가격 폭등이 이루어지게 된 가장 큰 원인으로 작용한 것입니다.

아래 표에는 2017년 12월에 발표한 임대주택 등록시의 세제 혜택이 나와 있지만, 이를 한 줄로 정리해보면 "임대주택사업자는 양도소득세, 종부세, 임대소득세, 취득세, 재산세 등 부동산 관련한 모든 세금을 거의 내지 않도록 모든 혜택을 몰아주겠다"는 방침으로 요약된다고 해도 무방할 것입니다.

임대주택 등록에 대한 세제 혜택

구분	주택유형	주택규모	주택가액	임대기간
양도소득세 (중과세율 배제, 장기보유특별 공제 등)	모든 주택	제한 없음 *준공공임대주택 장기보유특별공제 제한 없음	수도권 6억 원, 지방 3억 원 이하 *준공공임대주택 장기보유특별공제 제한 없음	8년 이상
종합부동산세 (합산배제)	모든 주택	제한 없음	수도권 6억 원, 지방 3억 원 이하	8년 이상
임대소득세 (감면)	모든 주택	85㎡ 이하 *수도권 외 읍 · 면 지역은 100㎡	전국 6억 원 이하	4년 및 8년 차등
취득세 (면제감면)	공동주택	85㎡ 이하	제한 없음	4년 이상
재산세 (면제감면)	공동주택 *40㎡ 이하 다가구주택	85㎡ 이하	제한 없음	4년 이상 *일부는 8년 이상
건강보험료 감면	모든 주택	제한 없음	제한 없음	4년 및 8년 차등

이렇게 과감한(혹은 용감한? 무모한?) 정책으로 인해 임대사업자와 임대주택 수는 폭발적으로 증가하게 되었습니다.

국토교통부 통계 및 이데일리 기사에 따르면, 2017년까지 임대사업자의 연간 신규 등록 10만 명을 넘은 적이 없었는데 2018년 한해에만 14만 8,000명이 임대사업자로 등록해(전년 대비 무려 57% 증가입니다!) 2018년 말 기준 40만 명을 넘어섰습니다.[22]

또한 임대주택 등록 수는 2017년 말 98만 채보다 38만 2,000채(전년 대비 39% 증가) 늘어난 136.2만 채로 집계되었다고 합니다. 당연히 역대 최대 수준으로 증가한 것입니다.

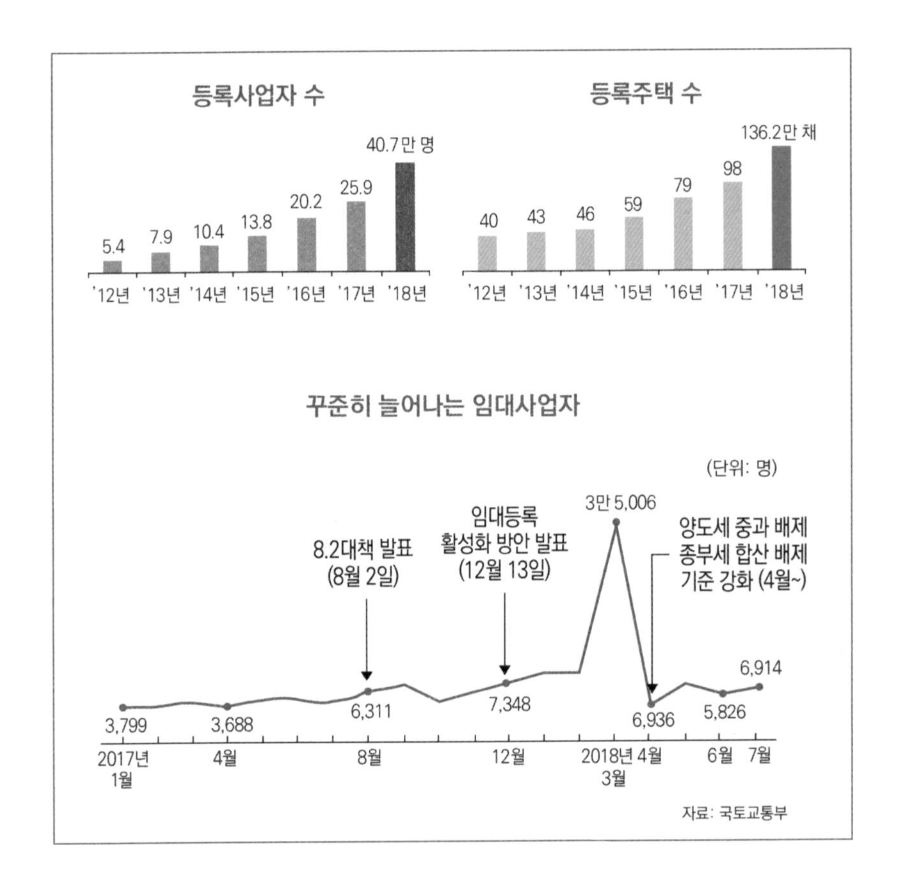

22) 성문재 기자, 「1년새 등록임대주택 급증…"등록 의무화는 아직"」, 이데일리, 2019. 1. 9.

한편, 이러한 현상에 대한 국토부 관계자의 설명은 다음과 같습니다. "사적 임대주택에 거주하는 세입자들의 잦은 이사와 과도한 임대료 상승 등의 주거불안 해소를 위해 2017년 12월 발표한 임대주택 등록 활성화 방안이 상당한 성과를 거둔 것"이라며 "임대인은 다양한 세제 혜택을 받고, 임차인은 임대료 변동 및 거주기간의 안정성을 확보하게 됐다"고 말했다고 합니다.

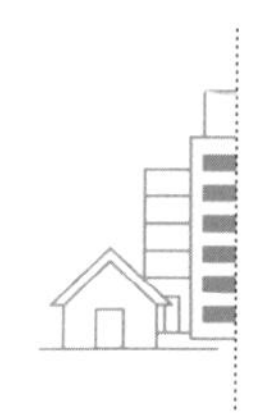

정책 6
임대업 규제책 시행(2018. 9. 13. 대책)

한편, 2017년 12월의 임대주택 활성화 방안의 부작용이 점점 심해지고, 부동산 시장에 미치는 악영향이 커지고, 이 부작용과 악영향을 피부로 느끼게 된 시민들의 비난 여론이 높아지자 현 정부는 다시 서둘러 2018년 9월에 임대업 규제책을 내놓게 됩니다. 너무 두드러져 보이는 것을 막아보려고 한 것인지 임대사업자에 대한 규제 관련 내용을 종부세 세율인상, 다주택자 규제강화에 이어 3번째 항목으로 넣기는 하였으나 실제 이 9 · 13 대책의 핵심은 임대사업자에 대한 과도한 세제 혜택을 급히 축소하려는 것이며, 이는 일전의 임대주택 활성화라는 정책 방안을 급히 되돌려야 한다는 것을 사실상 인정한 것이나 다름없다고 생각됩니다.

이렇게 두드러져 보이고는 싫어하지 않지만 사실상 가장 중요한 내용이었다는 것을 미루어 짐작해볼 수 있도록 정부의 발표 내용 원문을 아래에 실어 보았습니다. "3-1. 주택임대사업자: 과도한 세제혜택 조정"이라는 항목의 내용과 분량을 한번 잘 살펴보십시오. 그리고 정부 스스로 '과도한 세제혜택'(그 세제혜택은 애초에 누가 과도하게 부여했을까요?)이라고 표현한 의미도 생각해 보았으면 합니다.

Ⅰ. 최근 주택시장 동향 및 평가

□ **서울과 일부 수도권 중심으로 단기간에 시장 과열**

○ **전국 주택가격**은 **안정세가 지속**되고 있으나, **서울 주택가격**은 **7월부터 상승폭 확대**

* 전국 주택가격상승률(%) : ('18.5)△0.03 (6)△0.02 (7)△0.02 (8) 0.02
* 서울 주택가격상승률(%) : ('18.5) 0.21 (6) 0.23 (7) 0.32 (8) 0.63
* 지방 주택가격상승률(%) : ('18.5)△0.13 (6)△0.12 (7)△0.13 (8)△0.17

○ **서울의 아파트가격**이 **빠르게 상승**하면서 일부 **서울 인근 지역**으로 **가격 상승세가 확산**되는 모습

* 서울 아파트가격상승률(%) : (7월4주) 0.11 (8월4주) 0.45 (9월1주) 0.47
* 9월1주 주택가격상승률(%) : (과천) 1.38 (광명) 1.01 (분당) 0.79 (구리) 0.69

□ **매물 부족 상황에서 투기수요 등이 가세하며 시장불안 가중**

○ **풍부한 시장 유동성** 하에서 **가격상승 기대** 등으로 **매도물량이 감소**하면서 **공급자 우위의 시장** 상황 지속

* 단기부동자금(기말, 조원): ('14)795 ('15)931 ('16)1,010 ('17)1,072 ('18.6)1,117
* 서울의 9월 1주 「매수자 - 매도자」 지수(KB)는 171.6으로 '03년 집계 이후 최고

○ 최근 **갭투자 비중**이 **크게 증가**하는 등 **투기 수요 가세**

* 보증금 승계비율(%) : ('18.3) 56.8 (4) 49.1 (5) 50.2 (6) 50.8 (7) 56.6
  - 주택매수건 중 해당주택의 기존 임대차 계약을 승계하여 매수한 비중

○ **실수요자들의 내집 마련 불안감** 등으로 **추격매수 심리 확산**

◇ **주택시장 불안**은 **서민 주거안정 위협, 근로의욕**과 **경제하려는 의지 저하, 자원배분 왜곡** 등 **국민경제 전반의 활력 저해**

⇨ **주택시장 정상화**와 **서민 주거안정**을 위한 **정책 노력 강화**

- 1 -

Ⅱ. 추진방향

□ **"투기수요 근절, 맞춤형 대책, 실수요자 보호"**라는 **3대원칙** 아래 **서민주거**와 **주택시장 안정**에 전력

○ **(종부세) 고가주택 세율 인상**(과표 3억원 초과구간 +0.2~0.7%p), **3주택이상자 · 조정대상지역 2주택자 추가과세**(+0.1~1.2%p)

• **세부담 상한 상향**(조정대상지역 2주택자 및 3주택이상자는 150→300%)

○ **(다주택자) 2주택이상세대**의 **규제지역내 주택구입, 규제지역**내 **비거주 목적 고가주택 구입**에 **주담대 금지** 등

• 조정대상지역 **일시적 2주택자, 양도세 비과세기준 강화** (종전주택 3→2년내 처분)

○ **(주택임대사업자) 투기지역 · 투기과열지구**내 **주택담보 임대사업자대출 LTV 40%**, 임대업 대출 **용도외 유용 점검 강화**

• **조정대상지역 주택취득·임대등록**시 **양도세 중과 · 종부세 과세**

○ **(주택공급) 수도권 공공택지 30곳 개발**(30만호), **도심내 규제완화** (상업지역 주거비율 및 준주거지역 용적률 상향 등)를 통해 공급 확대

○ **(조세정의) 종부세 공정시장가액비율 추가 상향조정** (현 80% → 연 5%p씩 100%까지 인상), **공시가격 점진적 현실화**

○ **(지방 주택시장) 미분양 관리지역 지정기준 완화**(5~10여곳 추가 전망), **특례보증 도입, 분양물량 수급 조절** 등

- 2 -

Ⅲ. 주요 추진과제

1. 투기 차단 및 실수요자 보호

① 종합부동산세 ※ 종부세법 §9 등

과세표준 (시가)	현행	당초 정부안		수정안	
		2주택 이하	3주택 이상	일반	3주택이상 & 조정대상지역 2주택
3억이하 (1주택 18억원 이하 다주택 14억원 이하)*	0.5%	현행 유지	현행 유지	현행 유지	0.6% (+0.1%p)
3~6억 (1주택 18~23억원 다주택 14~19억원)				0.7% (+0.2%p)	0.9% (+0.4%p)
6~12억 (1주택 23~34억원 다주택 19~30억원)	0.75%	0.85% (+0.1%p)	1.15% (+0.4%p)	1.0% (+0.25%p)	1.3% (+0.55%p)
12~50억 (1주택 34~102억원 다주택 30~98억원)	1.0%	1.2% (+0.2%p)	1.5% (+0.5%p)	1.4% (+0.4%p)	1.8% (+0.8%p)
50~94억 (1주택 102~181억원 다주택 98~176억원)	1.5%	1.8% (+0.3%p)	2.1% (+0.6%p)	2.0% (+0.5%p)	2.5% (+1.0%p)
94억초과 (1주택 181억원 초과 다주택 176억원 초과)	2.0%	2.5% (+0.5%p)	2.8% (+0.8%p)	2.7% (+0.7%p)	3.2% (+1.2%p)
세부담상한	150%	현행유지		150%	300%

* 1주택자 공시가격 9억원(시가 약 13억원) 이하, 다주택자 공시가격 6억원(시가 약 9억원)는 과세 제외
* ( )는 현행대비 증가 세율

○ **3주택이상 보유자 및 조정대상지역 2주택 보유자 추가과세**

• **(당초 정부안) 3주택이상** 보유자만 **추가과세**

• **(수정안) 3주택이상 보유자**와 **조정대상지역 2주택** 보유자를 **동일하게 추가 과세**하되 현행대비 **+0.1~1.2%p 세율 인상**

- **과세기준일(6.1) 기준**으로 **조정대상지역 2주택자 대상**

- 3 -

○ **조정대상지역外 2주택** 및 **고가 1주택에 대한 세율 인상**

• **(당초 정부안)** 과표 6억원(시가 약 23억원) 이하구간 현행세율 유지
6억원 초과구간 +0.1~0.5%p 인상

• **(수정안)** 과표 **3~6억원 구간 신설**
→ 과표 3억원(시가 약 18억원) 이하구간 현행세율 유지
3억원 초과구간 세율 +0.2~0.7%p 인상

○ **세부담 상한 상향조정**

• **(당초 정부안) 현행 유지**(전년도 재산세+종부세의 150%)

• **(수정안) 조정대상지역 2주택자** 및 **3주택이상자**는 150%→300%, 1주택자 및 기타 2주택자는 **현행**(150%) 유지

⇨ **종부세 인상에 따른 추가 세수**는 **서민주거 재원**으로 활용하는 방안 마련

• **(적용시기) '19.1.1. 이후 납세의무가 성립**하는 분부터 적용

② 다주택자

❖ **주택구입 목적의 주택담보대출 관련**

* 주택법 제2조제1호에서 정하는 주택(단, 조합원 입주권 및 분양권을 포함)
* 규제지역 : 투기지역·투기과열지구, 조정대상지역

※ **시행시기** : **대책발표 이후(9.14일부터) 주택매매계약 체결건부터 적용 원칙** (세부 내용은 금융위 행정지도 참조)

❶ **2주택이상 보유세대**는 **규제지역내 주택 신규 구입**을 위한 **주택담보대출 금지**(LTV = 0)

- 4 -

❷ **1주택세대**는 **규제지역내 주택 신규 구입**을 위한 **주택담보대출 원칙적으로 금지**, 단 **예외 허용**

- 추가 주택구입이 **이사 · 부모봉양** 등 **실수요**이거나 **불가피한 사유로 판단**되는 경우 **예외 허용**

* 예외허용 사유 : ① **기존주택 최장 2년이내 처분 조건**(거주변경, 결혼, 동거봉양 등)
② **기존주택 보유 인정**(무주택자인 자녀의 분가, 타지역에서 거주중인 60세 이상 부모 별거봉양 등)

❸ **규제지역**내 **고가주택**(공시가격 9억원 초과) **구입시**에는 **실거주 목적**인 경우를 **제외**하고는 **주택담보대출 금지**

- **무주택세대**가 **주택구입 후 2년내 전입**하는 경우 등은 **예외적으로 허용**

- **1주택세대**는 **기존주택 최장 2년이내 처분 조건부**에 한해 **예외적으로 허용**

* 예외허용 사유 : **기존주택 최장 2년이내 처분 조건**(거주변경, 결혼, 동거봉양 등)
[**기존주택 보유인정**하는 경우는 **예외 사유로 불허**]

⇨ ❷, ❸ 사례 관련 **차주의 약정 위반 사례** 등 발생시 동 차주의 **주택 관련 대출**을 **3년간 제한**

< 주택구입 목적시 지역별 LTV · DTI 비율 >

주택가격	구 분		투기과열지구 및 투기지역		조정대상지역		조정대상지역 外 수도권		기타	
			LTV	DTI	LTV	DTI	LTV	DTI	LTV	DTI
고가주택 기준 이하 주택 구입시	서민실수요자		50%	50%	70%	60%	70%	60%	70%	없음
	무주택세대		40%	40%	60%	50%	70%	60%	70%	없음
	1주택 보유 세대	원칙	0%	-	0%	-	60%	50%	60%	없음
		예외	40%	40%	60%	50%	60%	50%	60%	없음
	2주택이상 보유세대		0%	-	0%	-	60%	50%	60%	없음
고가주택 구입시	원 칙		0%	-	0%	-	고가주택기준 이하 주택구입시 기준과 동일			
	예 외		40%	40%	60%	50%				

* 고가주택은 공시가격 9억원 초과 ** 음영부분은 이번 대책으로 변경된 사항

\- 5 -

<참고1> 실수요자 보호방안

⇨ 1주택 보유세대라도 규제지역 내 **실수요 목적 주택구입**에 **어려움이 없도록 신규 주담대 허용**(소득세법 등 준용)

- **현행 무주택세대**와 **동일**한 **LTV·DTI 비율 적용**

* 그 밖에 예상치 못한 경우를 위해 예외 규정(예 : 이에 준하는 자주)을 마련
→ 금융회사 여신심사위원회에서 대출승인 결정
(근거내역을 보관하고, 주기적으로 감독당국에 건수 등 처리결과 제출)

① **기존주택 매각 필요 : 기존주택 2년 이내 처분 조건**

▸ **서민·중산층**의 **'내집 키우기' 희망**에 따라 **거주지**를 **변경**하고자 하는 경우

▸ 1주택자가 **결혼, 동거봉양**(60세 이상 부모)을 위해 규제지역 내에서 **주택을 일시적**으로 **신규**로 **취득**하는 경우

▸ **부득이한 사유**(그 밖에 이에 준하는 것으로 인정되는 사유 포함)로 인해 **규제지역**으로 **이사**해야 하는 경우

* (소득세법 시행세칙 제71조) ①학교 취학 ②근무상의 형편 ③1년 이상의 치료나 요양을 필요로 하는 질병의 치료 또는 요양 ④학교폭력으로 인한 전학

② **기존주택 보유 인정 : 신규 주택으로의 전입 증명 등**
* 예 : 대출취급 전후, 3개월 이내에 전입증명원 제출 등

▸ ① **부모**와 **동일세대를 구성**하는 **무주택자**인 자녀의 **분가**,
② 부모와 동일세대를 구성하는 **서민층**이 **'내집마련' 목적**으로 **규제지역**에서 **주택**을 신규로 **취득**하는 경우(단, 주택구입후 세대분리 필요)

※ 규제지역(예 : 서울) 내 청년 및 서민의 주택금융을 활용한 주택구입 지원 필요 (편법 증여 등 문제는 조세행정 차원에서 대응)

▸ **타지역**에 **거주**하는 60세 이상의 **부모**를 본인의 **거주지 근처**로 **전입**시켜 봉양(별거봉양)하려는 경우

▸ **분가, 세대분리 없이 직장근무 여건** 등으로 **불가피**하게 **2주택**을 **보유**하여 **실거주**하는 경우(단, **본인**이 이를 **명백**하게 **입증**하는 경우)

\- 6 -

❖ **생활안정자금 목적의 주택담보대출 관련**

* 의료비, 교육비 등 생활자금조달목적으로 「이미 보유하고 있는 주택」을 담보로 받는 대출

※ **시행시기** : **대책발표 이후(9.14일부터) 대출신청건부터 적용 원칙**
(세부 내용은 금융위 행정지도 참조)

❶ **1주택세대**는 **현행과 동일**한 **LTV · DTI 비율 적용**, **2주택이상세대**는 **10%p씩 강화**된 LTV · DTI 적용

* 금융회사 여신심사위원회에서 추가 자금지원 필요성 승인(결과는 감독당국에 보고)
\- (1주택세대) 연간 대출한도 미적용
(2주택이상세대) 1주택세대와 동일한 LTV·DTI 적용, 연간 대출한도 미적용

< 생활안정자금목적시 지역별 LTV · DTI 비율 >

구 분	투기과열지구 및 투기지역		조정대상지역		조정대상지역 外 수도권		기타	
	LTV	DTI	LTV	DTI	LTV	DTI	LTV	DTI
1주택세대[1]	40%	40%	60%	50%	70%	60%	70%	없음
2주택이상세대[1]	30%	30%	50%	40%	60%	50%	60%	없음
여신심사위특별승인[2]	40%	40%	60%	50%	70%	60%	70%	없음

* 1) 연간 대출한도는 동일물건별 1억원까지로 제한, 2) 승인건은 연간한도 제한 없음
* 음영부분은 이번 대책으로 변경된 사항

❷ **생활안정자금**을 **주택구입목적** 등으로 **유용**하지 **못하도록 철저한 사후관리 방안** 마련

- 생활안정자금을 대출받을시, **동 대출기간 동안**은 **주택을 추가 구입하지 않겠다**는 **약정체결**

- **생활안정자금**을 대출받은 **세대**의 **주택보유여부**를 **주기적**(예 : 3개월)으로 **확인**하여 주택구입 확인시 **불이익 부과**

\- **대출**을 **즉각 회수**하고, **주택관련 신규대출**을 **3년간 제한**

※ 국토부가 금융회사에 **주택소유시스템**(HOMS)을 통해 **일일단위로 주택소유 여부 등을 확인 · 제공**하고, **연내 시스템 고도화 추진**

* 차주가 대출신청시, 주택소유정보에 대한 열람을 동의한 경우에 한함

\- 7 -

❖ **전세자금보증 및 대출 관련**

❶ **2주택이상자**(부부합산, 조정대상지역 외 포함)는 **전세자금 대출**에 대한 **공적보증 금지**(現 : 주택보유수와 무관하게 보증 제공)

❷ **1주택자**(부부합산)는 **부부합산소득 1억원이하**까지 **보증 제공**
→ **보금자리론 소득기준***을 **초과한 경우**에는 **보증요율 상향**(주금공)

* ① 기본(7천만), ② 맞벌이신혼부부(8천5백만), ③ 다자녀가구(1자녀 8천만, 2자녀 9천만, 3자녀 1억)

❸ **무주택자**(부부합산)는 **소득과 상관없이** 공적보증 **제공**

< 공적 전세자금(HUG, 주금공) 보증 제도 보완 >

요 건	現 공적 보증요건		⇨	개 선	
	주금공	HUG		주금공	HUG
주택보유수	없음			다주택자 제한 (2주택 이상)	
소득요건	없음			1주택자의 경우 부부 합산 소득 1억원 이하	

❹ 전세대출건에 대해 금융회사가 주기적으로(예 : 1년) **실거주** 및 **주택보유수 변동 여부 확인**

- **실거주하고 있지 않은 것**이 확인될 경우 **전세대출 회수**

- **2주택 이상 보유시 공적 전세보증 연장 제한**(주금공, HUG)

* 단, 전세 보증만기 전에 1주택 초과분을 처분하면 만기연장 가능

※ 규정개정 이전에 **전세대출보증**을 **이미 이용중인 자가 보증**을 **연장**하는 **경우**에는 예외적으로 **경과조치 적용**

○ **(주택보유요건 : 2주택이상자) 1회에 한해 기존 1주택 초과분을 2년 이내 처분**한다는 **조건**으로 **허용**

○ **(소득요건 : 1주택자) 당초 요건**(소득요건 無)에 따라 **허용**

\- 8 -

❖ 1주택자 특례를 실수요자 중심으로 개편

❶ 고가 1주택자 장기보유특별공제 요건 강화
(소득세법 시행령 §159의3)

- **(현행) 고가**(실거래가 9억원 초과) **1주택자**는 거주기간 요건 없이 **보유기간**에 따라 **최대 80% 장기보유특별공제** 적용

보유기간	3~4년	4~5년	5~6년	6~7년	7~8년	8~9년	9~10년	10년이상
공제율	24%	32%	40%	48%	56%	64%	72%	80%

- **(개정) 2년이상 거주**한 경우에 한해 **장특공제**(10년, 최대 80%) **적용**
  - **2년미만 거주시 일반 장특공제**(15년, 최대 30%) **적용**
- (적용시기) **'20.1.1. 이후 양도**하는 분부터 적용
  - **1주택자의 신뢰이익 보호**를 위해 **1년 적용유예 기간 설정**

❷ 조정대상지역 일시적 2주택 중복보유 허용기간 단축
(소득세법 시행령 §155)

- **(현행) 일시적 2주택자**는 신규주택 취득 후 **3년 이내 종전주택 양도**하면 **양도세 비과세**
- **(개정) 조정대상지역 일시적 2주택자***는 신규주택 취득 후 **2년 이내에 종전주택을 양도**해야 **양도세 비과세**

* 조정대상지역에 종전주택이 있는 상태에서 조정대상지역에 신규주택을 취득한 자

- (적용시기) **대책발표 후 새로 취득하는 주택**부터 적용
  - **대책발표 전 매매계약 체결+계약금 지불**한 경우 **종전규정 적용**

- 9 -

③-1 주택임대사업자 : 과도한 세제혜택 조정

❖ 조정대상지역 신규취득 임대주택 양도세 중과

※ 소득세법 시행령 §167의3 등

○ **(현행) 조정대상지역 다주택자**가 **8년 장기 임대등록 주택**(수도권 6억원 · 비수도권 3억원 이하)을 양도시 **양도세 중과 제외**

○ **(개정) 1주택 이상자가 조정대상지역에 새로 취득한 주택은 임대등록시**에도 **양도세 중과**

* (2주택) 일반세율 + 10%p (3주택이상) 일반세율 + 20%p

○ (적용시기) **대책발표 후 새로 취득하는 주택**부터 적용

- **대책발표 전 매매계약 체결+계약금 지불**한 경우 **종전규정 적용**

❖ 조정대상지역 신규취득 임대주택 종부세 과세

※ 종부세법 시행령 §3

○ **(현행) 8년 장기 임대등록한 주택**(수도권 6억원 · 비수도권 3억원 이하)에 대하여 **종부세 비과세**(합산 배제)

○ **(개정) 1주택 이상자가 조정대상지역에 새로 취득한 주택은 임대등록시**에도 **종부세 합산 과세**

○ (적용시기) **대책발표 후 새로 취득하는 주택**부터 적용

- **대책발표 전 매매계약 체결+계약금 지불**한 경우 **종전규정 적용**

- 10 -

❖ 등록 임대주택 양도세 감면 가액기준 신설

※ 조세특례법 시행령 §97의3·5

○ **(현행) 등록 임대주택**(국민주택 규모 이하)에 대해 **양도세 감면**

* 주거전용면적 85㎡이하, 수도권 밖 읍·면지역은 100㎡이하

- **양도세 100% 면제**(10년 이상 임대)

* '18.12.31일까지 취득하고 취득일부터 3개월 이내 임대등록하는 분에 한해 적용

- **장기보유특별공제 50%**(8년 이상~10년 미만 임대) · **70%**(10년 이상 임대)

○ **(개정) 등록 임대주택 양도세 감면 요건**으로서 **주택가액 기준 신설**

- 임대개시시 **수도권 6억원 · 비수도권 3억원 이하 주택**에 한해 적용

○ (적용시기) **대책 발표 후 새로 취득하는 주택**부터 적용

- **대책발표 전 매매계약 체결+계약금 지불**한 경우 **종전규정 적용**

③-2 주택임대사업자 : 대출규제 강화

* 임대사업자가 이미 건축되어 있는 주택을 담보로 임대업대출을 받을 경우에 적용
→ 주택을 새로 건축하여 임대주택을 신규공급하는 경우는 규제대상에서 제외

※ **시행시기** : **대책발표 이후(9.14일부터) 주택매매계약체결건 또는 대출신청건부터 적용 원칙**(세부 내용은 금융위 행정지도 참조)

○ **투기지역 · 투기과열지구**내 **주택을 담보**로 하는 **임대사업자 대출**에 **LTV 40% 도입**

* (現) 금융회사가 통상 60~80% 정도 수준의 LTV를 자율적으로 적용

- 특히, **투기지역 · 투기과열지구**내 **고가주택**(공시가격 9억원 초과)을 **신규 구입**하기 위한 **주택담보대출**은 **원천적**으로 **금지**

- 11 -

○ **주택담보대출**(가계대출, 사업자대출)**을 이미 보유**한 **임대사업자**에 대해 **투기지역** 내 **주택취득 목적**의 **신규 주담대 금지**

* 주택취득 목적이 아닌 임대주택의 개·보수 등 운전자금 성격의 대출은 허용

○ 임대업대출 **용도외 유용 점검**을 **강화**하여 **정상적 대출**은 **원활히 지원**하되, **사업활동**과 **무관한 대출금 사용 방지**

- **건당 1억원 초과** 또는 **동일인당 5억원 초과**시 **점검**
- **임대차계약서, 전입세대열람원** 등을 **사후**에 **반드시 확인**
- 용도외 유용시 **대출금 회수** 및 **임대업관련 대출 제한**(최대 5년)

④-1 시장 관리 : 임대차·매매

○ **실거래 신고기간 단축**(계약후 60일→30일), 부동산 **거래 계약 무효, 취소 또는 해제시 신고의무 부여** 등 제도 개선

- **거래계약 허위신고 금지 규정**을 신설하고, 위반시 부동산 거래신고법상 최고 수준인 **3천만원 이하 과태료** 부과

○ **자금조달계획서**에 **기존 주택 보유현황, 현금증여** 등 **신고사항을 추가**하고 **다주택자**의 **과다 대출 · 증여** 등 **조사 강화**

< 자금조달 계획서 신고항목 개선안 >

기존		개선
(자기자금) ① 예금, ② 부동산매도액, ③ 주식채권, ④ 보증금 승계, ⑤ 현금 등 기타	⇨	**(자기자금)** ① 예금, ② 주식채권, ③ 부동산처분 등(기존주택보유현황), ④ 현금 ⑤ 증여·상속, ⑥ 기타
(차입금 등) ① 대출액, ② 사채, ③ 기타		**(차입금 등)** ① 대출액, ② 임대보증금, ③ 회사지원금 및 사채, ④ 기타 차입금

○ 일부 인터넷커뮤니티 등을 통한 **집주인**의 **호가담합, 중개업자**의 **시세왜곡, 공동의 시세조종 행위** 등에 **별도처벌** 등 **제재방안** 마련 (공인중개사법 개정 ㉾)

- 12 -

○ **투기지역 · 투기과열지구**에서 **주택도시기금**을 통한 **장 · 단기 민간임대 매입자금 융자 중단**(9.14일 시행)

○ **임대사업자**의 **임대조건**(임대의무기간, 인상률 등) 및 **양도금지 의무 위반**시 **과태료**를 **상향**

* 「민간임대주택에 관한 특별법」 개정 추진(現 : 과태료 1천만원 이하)

○ 9월부터 **주택임대차정보시스템**(RHMS)을 통해 **임대사업자**에 대한 **임대의무기간 준수 점검** 등 **관리 강화**

* 임대등록 정보와 건축물대장·주민등록·재산세대장 등을 연계하여 보유·임대현황 파악

○ **RTI 규제수준**의 **적정성**(규제비율, 한도관리, 예외승인)을 **종합적**으로 **검토**하여 **임대업대출**의 **건전성 제고 방안** 마련('18년중)

4-2 시장 관리 : 분양

○ **부정 청약자**에 대한 **공급계약 취소**를 **의무화**(주택법 개정 要), **무주택자의 청약 당첨기회 확대**

* 선의의 피해자 방지를 위해 분양권 정보에 대한 공시제 우선 도입 추진

• **무주택기간 요건 강화**(분양권 · 입주권 소유시, 매수자는 주택 소유로 간주)

• **추첨제**로 청약 당첨자 선정시 **무주택자 우선 추첨**

○ **수도권 분양가 상한제 주택**에 대해 **전매제한 기간 확대**, **거주의무 기간**(공공택지 공공분양주택은 최대 5년) 설정

* 시세보다 저렴하게 공급될수록 전매제한 기간을 길게 설정

• **공공분양 주택 수분양자**에게 **전매제한 기간 내 예외적으로 전매가 허용**되는 경우 **사업시행자에게 환매 의무** 부여

* (환매가격) 최초 공급가격에 1년 만기 정기예금 이자율을 적용한 가격 적용

○ RHMS 등과 연계하여 불법 청약자 검증 등 청약업무의 공적 관리 강화를 위해 **청약시스템 운영기관**을 **공공기관으로 변경 추진**

<참고2> 분양가 상한제 적용주택 전매제한 기간

< 현 행 >

분양가상한제 적용주택 전매제한 기간

구 분				전매제한		거주의무 기간
				투기과열	그 외	
수도권	50% 이상 GB해제 & 85m² 이하	공공분양	분양가격 인근 시세 100% 이상	3년	3년	-
			85 ~ 100%	4년	4년	1년
			70 ~ 85%	5년	5년	2년
			70% 미만	6년	6년	3년
		공공분양 외 주택	분양가격 인근 시세 100% 이상	소유권 이전 등기일 (조정지역)	1년	-
			85 ~ 100%		1년	-
			70 ~ 85%		2년	-
			70% 미만		3년	-
	그외 주택	공공택지		3년	1년	-
		민간택지		3년	6개월	-

< 개선안 >

분양가상한제 적용주택 전매제한 기간 개선안

구 분			전매제한		거주의무 기간[2]
			투기과열	그 외	
수도권	공공택지 (공공분양) (민간분양)	분양가격 인근 시세의 100% 이상	3년[1]	3년	-
		85 ~ 100%	4년[1]	4년	1년
		70 ~ 85%	6년	6년	3년
		70% 미만	8년	8년	5년
	민간택지	분양가격 인근 시세의 100% 이상	3년	1년 6개월	-
		85 ~ 100%	3년	2년	-
		70 ~ 85%	3년	3년	-
		70% 미만	4년	4년	-

1) 과밀억제권역 85m²이하 주택의 경우 5년 / * 그 외 지역은 현행과 동일

2) 거주의무기간은 공공택지에서 공급하는 공공분양주택에만 적용

2. 서민 주거안정 목적의 주택공급 확대

1 신규 수도권 공공택지 공급

○ **수도권내 교통여건**이 좋고 **주택 수요**가 많은 지역을 중심으로 **신규 공공택지 30곳 개발**(30만호)

• **도심 내 유휴부지**, 보존가치 낮은 **3등급 이하 그린벨트** 등 활용

* 그린벨트 평가등급은 1 ~ 5등급으로 구성
(그린벨트 해제 및 개발은 환경적 가치가 상대적으로 낮은 3 ~ 5등급지 활용이 원칙)

• **공공택지**에서 공급되는 **공공분양주택**에 대해서는 전매제한, 거주의무 요건 강화 등을 통해 **적정 이익 환수**

• **실수요자 주택수요**에 따라 **공공임대-분양비율**을 지자체와 협의하여 **탄력적용**

2 도심내 공급 활성화

○ **지자체**와 **협의**를 통해 **도심내 규제 완화** 등을 포함하여 다양한 **주택공급 확대방안**을 마련

• **상업지역 주거비율** 및 **준주거지역 용적률 상향**, **역세권 용도지역 변경** 등

○ **노후지**에 대한 **소규모 정비사업 활성화** 통해 주택공급 확대

⇨ **9월중** ①**지자체 협의가 완료된 공공택지**, ②**도심내 공급확대**, ③**소규모 정비사업 활성화** 등 **구체적 공급확대 방안 발표**

3. 조세 제도와 행정 측면에서 조세정의 구현

1 조세 제도

○ **부동산 등 자산**에 대한 **과세 지속 강화**

• 종부세 **공정시장가액비율 추가 상향조정**

- (**당초 정부안**) 현행 80% → **연 5%p씩 90%까지 인상**
('19) **85%** ('20) **90%**

- (**수정안**) 현행 80% → **연 5%p씩 100%까지 인상**
('19) **85%** ('20) **90%** ('21) **95%** ('22) **100%**

- (**적용시기**) **'19.1.1. 이후 납세의무가 성립**하는 분부터 적용

• **공시가격**의 **점진적 현실화** 및 **형평성 개선**

* (現) 유형별, 지역별, 가격별로 차이

2 조세 행정

○ **부동산 투기** 및 **고액재산가의 편법 · 탈법 상속 · 증여** 등에 대한 **자료출처 조사 및 세무조사 지속 강화**

• 부동산가격 조작, 허위거래 등 **시장교란행위 모니터링 강화** 및 관련 정보 공유

• **주택임대차정보시스템**(RHMS)을 통한 **다주택자 임대소득 과세관리 강화**

4. 지방 주택시장에 대한 맞춤형 대응

○ 지방 미분양 증가에 대비하여 **미분양 관리지역 지정기준 완화**(5~10여곳 추가지정 전망), **지정시 최소 지속기간 연장**(3→6개월)

* (現) 최근 3개월간 미분양 1,000세대 이상 + 감소율 10% 미만인 달이 있는 지역
→ (改) 최근 3개월간 미분양 500세대 이상 + 감소율 10% 미만인 달이 있는 지역

○ 지방 미분양 관리지역 **세입자 보호**를 위해 '**전세보증금 반환보증 위축지역 특례**(특례보증)' 도입

- **보증가입 신청기한 연장**(전세계약 종료 6개월 전), **임대인에 대한 구상권 행사** 및 **지연배상금 부과 일정기간 면제**(6개월) 등

< 전세보증금 반환보증 제도 >

구 분	현 행	특례보증(미분양관리지역)
신청기한	•전세계약 1/2 경과 전	•전세계약 종료 6개월전
구상권행사 (임대인)	•대위변제 후 6개월 유예 •민법상 지연배상금 5%	•대위변제 후 6개월 유예 •6개월간 지연배상금 면제(0%)

○ **미분양 관리지역 분양물량 수급 조절**을 위해 **관리지역 지정 前 택지매입**을 한 사업자에 대해 **분양보증 발급 예비심사제도** 강화

* (예비심사 미흡 등급시) 분양보증 발급 거절, 3개월 이상 경과 후 재심사 실시하여 양호, 보통 시 분양보증 발급
* (예비심사 양호, 보통 등급시) 분양보증 발급

- 분양보증 발급 제한의 기준이 되는 **미흡 점수**를 **현행보다 상향 조정**(60점→62점)하여 **밀어내기식 공급과잉 차단**

○ **미분양 관리지역 주택공급 억제**를 위해 **LH 공공택지 공급시기 조절**

○ **지역 미분양 현황** 등을 고려하여 **'19년 이후 일반 공공분양주택**의 **착공 예정물량 사업시기 조정**

※ 시장과열이 있는 **수도권을 제외한 지방**에 대해서는 시장 모니터링을 통해 필요시 신속하게 **조정대상지역 등 규제지역 지정해제** 추진

정책 7

서울 외곽 위주 공급-3기 신도시 정책 (2018. 12. 19. & 2019. 5. 7.)

한편, "임대주택 활성화 방안"이라는 정책의 후폭풍으로, 평소 같으면 시중에 적절히 유통되어야 할 주택 수가 급감한 것을 뒤늦게 깨닫자 정부는 "3기 신도시 정책"이라는 공급 확대 정책에 나서게 되었습니다.

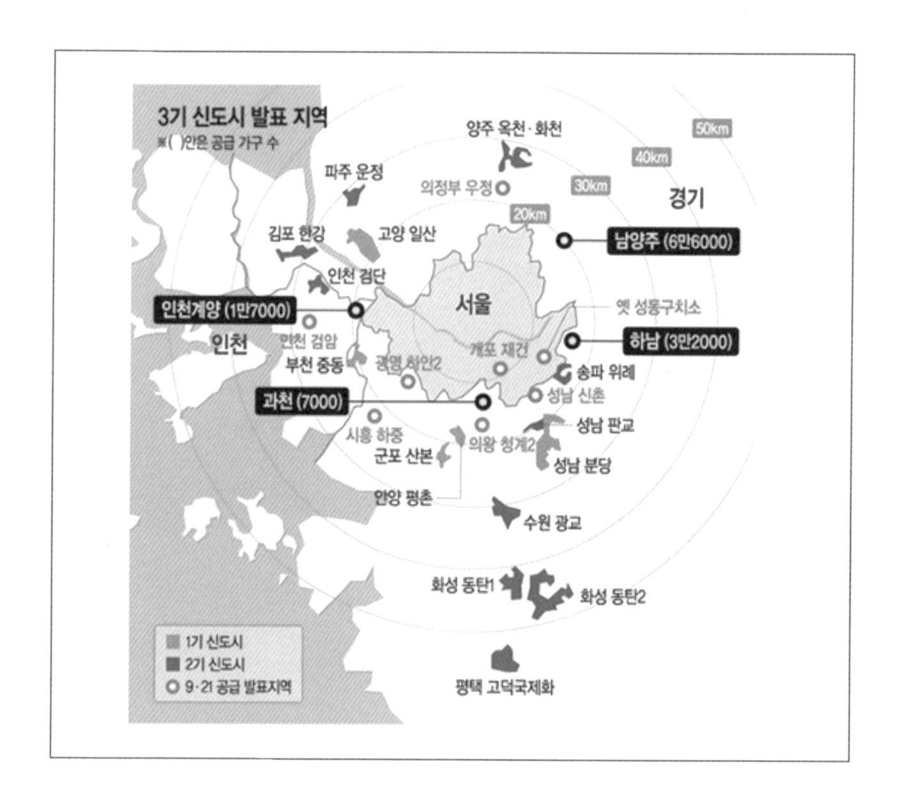

국토교통부는 ▲ 남양주 왕숙1 · 2지구(1,134만㎡/66,000호) ▲ 하남 교산지구(649만㎡/32,000호) ▲ 인천 계양지구(335만㎡/17,000호) ▲ 과천 과천지구(155만㎡/7,000호) 등 대규모 택지 4곳에 대한 '공공주택지구 지정'을 고시했습니다.

또한 이 주택지구에 대한 교통 대책은 지구별로 다음과 같이 설명하고 있습니다.

- 남양주: 광역급행철도(GTX) B노선 역 *신설* 및 수석대교 등 SOC *확충*
- 하남: 서울도시철도 3호선 **연장** 및 서울~양평 고속도로 *추진*
- 인천: 신 교통형 전용 BRT를 *신설*
- 과천: 과천대로~헌릉로를 연결하는 **도로망 대폭 확충** 및 과천~위례선이 확정될 경우 노선 **연장**

그러면 과연 이 신도시 정책 및 교통 대책의 효과는 어떠할까요? 몇 가지로 나누어 살펴보겠습니다.

첫째, 신도시 정책은 상대적으로 양호한 일자리가 뒷받침되는 지역이 선정되어야 성공적으로 주택 수요를 흡수하는 좋은 공급 대안이 될 수 있는데, 현재 발표한 지역들은 그런 고려가 부족하고 그저 양적인 공급에만 급급하고 있어서 주택 가격 안정에 실질적으로 기여할 수 있는지는 의문입니다.

둘째, 동신대 조진상 교수의 주장에 따르면, 3기 신도시 정책은 수도권에 거대한 블랙홀을 만들어서 지방 소멸을 가속화하고, 이대로 가면 2040년에는 호남과 영동 등 남부권의 주택 단지는 전부 소멸하고 말 것이라고 합니다.[23] 필자는 이 주장에 상당 부분 동감하며, 더 나아가 이 예상대로 진행될 경우 주택 양극화는 더욱 심화되고 일부 대도시 및 수도권으로의 쏠림 현상과 가격 상승이 따라올 것이라고 생각합니다.

셋째, 교통 정책과 관련해서는 위에 표시하였듯이 *신설, 추진* 등의 단어는 단기간에 실현되기 어려우므로 회의적인 시선으로 바라보아야 한다고 봅니다. 반면, 그나마 **연장, 확충** 등의 단어는 실현 가능성이 상대적으로 높으므로 어느 정도 신뢰할 수 있다고 봅니다. 왜냐하면, 과거 군사정권 시절에는 교통 인프라의 *신설, 추진* 등이 지자체나 환경 단체 등 제반 이해관계자의 반발에도 무릅쓰고 전격적 · 고압적으로 실시되어 완공 기한을 넘기는 것을 큰 수치로까지 여겼습니다.

하지만 최근에는 각종 이해관계자들을 설득하고 대규모 건설공사에 따르는 소음, 공해, 먼지 등 환경문제까지 일일이 해결하면서 개발을 진행해야 하므로 기초공사도 되어 있지 않은 제로 베이스에서 완공까지 걸리는 시간이 턱없이 늘어지는 것이 비일비재하게 되었기 때문입니다. 따라서 이 교통 대책을 100% 신뢰하고 투자 및 이주에 나서는 경우에는 자칫 장기간에 걸쳐 고생은 고생대로 하고 투자 회수는 요원한, 소위 '물리는' 상태에 빠질 수 있다는 점을 잘 감안하여야 할 것입니다.

---

23) 박경만 · 안관옥 · 오윤주 · 김영동 · 김일우 기자, 「새 도시는 블랙홀…"이대로 가면 2040년 영 · 호남 소멸"」, 한겨레신문, 2019. 1. 17.

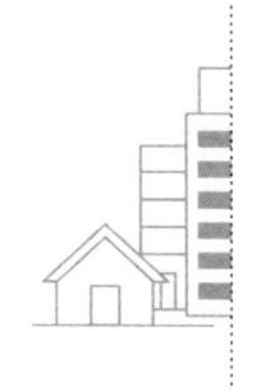

정책 8
토지보상금은 어디로?

한편, 이러한 대규모 신도시 개발 계획의 이면에는 또 다른 숨은 변수가 존재합니다. 그것은 바로 막대한 토지 보상금입니다.

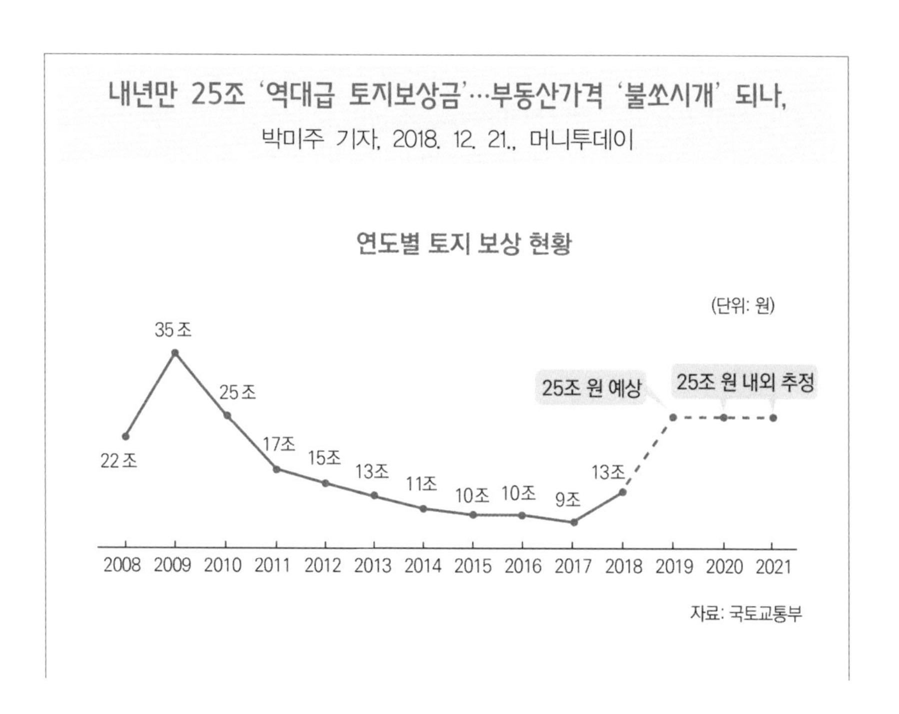

부동산개발업체 지존에 따르면 올해 전국 토지보상금 규모는 약 13조 원이며, 내년에는 최근 3년 평균의 2배 넘는 25조 원으로 확대될 전망이다. 토지보상금 규모는 2015년 9조 9,000억 원, 2016년 10조 5,000억 원, 지난해 8조 9,000억 원이었다.

내년 토지보상금 규모가 대폭 늘어나는 것은 문재인 정부의 '주거복지 로드맵'에 따른 비용지출 때문이다. 박근혜 정부는 택지개발을 중단했지만 문정부는 집권 초부터 정부 주도로 택지를 공급하고 도시개발에 나섰다. 이로 인해 과천주암지구, 성남복정1 · 2지구, 성남금토지구 등의 택지에 대한 토지보상금이 대거 풀리게 됐다.

여기에다 전날 3기 신도시 개발계획까지 발표되면서 내년에 이어 2020년, 2021년까지 연간 25조 원 내외의 토지보상금이 시중에 풀린다. 3기 신도시 보상금은 내년 지구 지정, 전략환경영향평가 등을 거쳐 2020년께부터 지급될 것으로 예상된다. 땅값이 비싼 수도권에 집중되어 있고, 면적이 2,273만㎡여서 보상금 규모가 수십조 원에 달할 것으로 예상된다.

위의 기사에도 나와 있듯이, 개발계획으로 인한 토지보상금이 2019년부터 50조 원 이상 풀릴 것으로 예상되고 있습니다. 2019년 1년 동안 서울 시내의 아파트 거래 금액이 51.3조 원이라는 조사 결과[24)]가 있는데, 거의 이 금액에 해당하는 막대한 금액이 풀리는 것입니다.

그러면 이러한 토지보상금을 받은 사람들의 입장에서 역으로 생각해보겠습니다. 그 사람들이 이 돈으로 주식투자를 할까요, 아니면 투

---

24) 유시혁 기자, 「'고점 대비 거래량 반토막' 2019년 서울 아파트 거래 전수조사」, 비즈한국, 2020. 1. 3.

자이민을 갈까요? 상식적으로 생각해봐도, 부동산에서 막대한 초과 이익을 거둔 사람들은 그 돈의 대부분을 다시 부동산에 투자할 것이 자명합니다. 일부 금액은 보상받은 토지 일부에 투자될 것이고, 또 일부 금액은 대도시의 빌딩이나 강남 아파트와 같은 안전한 수익자산에 투자될 것입니다.

이렇게 부동산 가격을 안정시키겠다고 내놓은 정책이 일종의 부메랑이자 시한폭탄이 되어 다시 부동산 투자자금을 유입시키고 매수 수요를 일으키게 되는, 이러한 악순환과 부작용을 잘 이해하여 개개인의 부동산 전략 수립 시에 참고하여야 할 것입니다.

정책 9

대출규제로 가격 상승 방지(2019. 12. 16.) 및 전세대출도 규제(2019. 12. 20.)

더 이상의 부동산 상승을 어떻게든 막아야 하겠는지 2019. 12. 16.에는 초강력 대출규제, 보유세 · 종부세 강화, 양도세 보완, 민간 택지 분양가 상한제 적용 확대 등 한층 더 강화된 규제책을 발표하게 됩니다.

먼저, 초강력 대출규제에서는 15억 원(초고가)과 9억 원(고가)이라는 금액 설정이 두드러지게 눈에 띄는데요, 고가 주택의 기준을 기존의 공시 가격에서 시가 기준으로 바꿨습니다. 그리고 15억 원 이상의 모든 '초고가' 아파트에 대해 주택 담보 대출을 금지했습니다. 또한 9억 원 초과 고가 주택에 대해서는 LTV 비율을 구간별로 낮추었습니다. 끝으로 임차인이 전세 대출을 받은 후 시가 9억 원을 초과하는 주택을 매입하거나 2주택 이상 보유 시 전세 대출을 회수하는 등 '갭투자' 방지 내용도 포함시켰습니다.[25]

---

25) 「역대급이라는 12 · 16 부동산대책 주요 정책 완벽정리」, KT에스테이트, 2019. 12. 20.

투기수요 억제 및 공급확대를 통한 주택시장 안정화

투기수요 차단 및 실수요 중심의 시장 유도

투기적 대출수요 규제 강화

◈ 투기지역, 투기과열지구 주담대 관리 강화
- 시가 9억 원 초과 LTV 강화
- 초고가 아파트 주담대 금지
- 차주 단위 DSR 한도 규제
- 주담대 실수요 요건 강화
- 구입용 사업자대출 관리 강화
- 부동산 임대업 RTI 강화
- 상호금융권 대출 관리 강화

◈ 전세대출 이용 갭투자 방지
- 사적보증의 전세대출보증 규제 강화
- 전세대출 후 고가 신규주택 매입 제한

주택 보유부담 강화 및 양도소득세 제도 보완

◈ 보유 부담 강화
- 종합부동산세 세율 등 상향
- 공시가격 현실화 형평성 제고

◈ 양도세 제도 보완
- 1주택자 장특공제에 거주기준 요건 추가
- 2년 이상 거주자에 한해 1주택자 장특공제 적용
- 일시적 2주택 전입요건 추가 및 중복보유 허용기간 단축
- 등록 임대주택 양도세 비과세 요건에 거주요건 추가
- 조정대상지역 다주택자 양도소득세 중과 시 주택 수에 분양권도 포함
- 2년 미만 보유 주택 양도세율 인상
- 조정대상지역 내 한시적 다주택자 양도세 중과 배제

투명하고 공정한 거래 질서 확립

◈ 민간택지 분양가 상한제 적용지역 확대

◈ 거래 질서 조사체계 강화
- 고가주택 자금출처 전수 분석
- 실거래 정비사업 점검 상시화
- 자금조달계획서 제출대상 확대 및 신고항목 구체화
- 자금조달계획서 증빙자료 제출

◈ 청약 규제 강화
- 불법전매자 등 청약제한
- 청약 당첨 요건 강화
- 청약 재당첨 제한 강화

◈ 임대등록 제도 보완
- 취득세, 재산세 혜택 축소
- 임대사업자 합동점검
- 임대사업자 등록요건 강화
- 임대사업자 의무 강화

실수요자 공급 확대

실수요 중심의 공급 확대

◈ 서울 도심 내 공급의 차질없는 추진

◈ 수도권 30만 호 계획의 조속한 추진

◈ 관리처분인가 이후 단계정비사업 추진 지원

◈ 가로주택정비사업 활성화를 위한 제도개선

◈ 준공업지역 관련 제도개선

이 대책으로 인해 예를 들어 주택가격이 12억 원이라면 9억 원까지는 40%, 나머지 3억 원까지는 20%의 LTV가 적용되는 것이고, 15억 원을 초과하는 아파트에 대해서는 아예 주택담보 대출이 시행되지 못하게 된 것입니다.

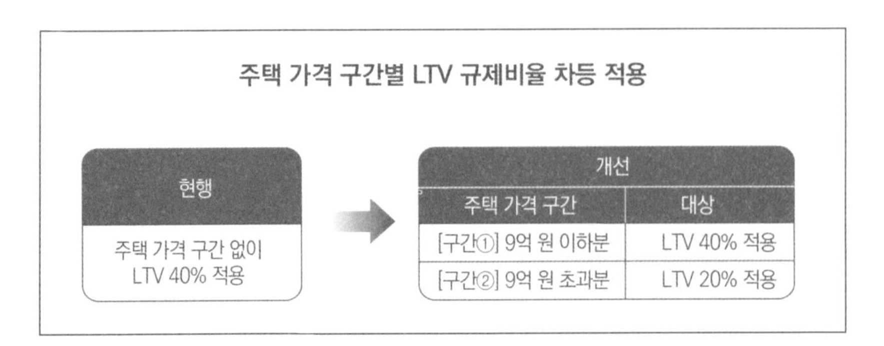

보유세 · 종부세 강화 대책으로는 1주택자(및 주택조정대상지역 외 1주택 보유자)의 경우 과세표준을 0.1~0.3% 인상하였으며, 조정대상지역 2주택(및 3주택 이상 보유자)은 0.2~0.8% 올리는 등 전반적으로 평균 30~50% 보유세 상승 요인이 발생했습니다.

종합부동산세 세율 상향 조정

과표(대상)	일반			3주택 이상 +조정대상지역 2주택		
	현행	개정		현행	개정	
3억 원 이하 (1주택 17.6억 원 이하, 다주택 13.3억 원 이하)	0.50%	0.60%	+0.1%p	0.60%	0.80%	+0.2%p
3~6억 원 (1주택 17.6~22.4억 원, 다주택 13.3~18.1억 원)	0.70%	0.80%	+0.1%p	0.90%	1.20%	+0.3%p
6~12억 원 (1주택 22.4~31.9억 원, 다주택 18.1~27.6억 원)	1.00%	1.20%	+0.2%p	1.30%	1.60%	+0.3%p
12~50억 원 (1주택 31.9~92.2억 원, 다주택 27.6~87.9억 원)	1.40%	1.60%	+0.3%p	1.80%	2.00%	+0.2%p
50~94억 원 (1주택 92.2~162.1억 원, 다주택 87.9~157.8억 원)	2.00%	2.20%	+0.2%p	2.50%	3.00%	+0.5%p
94억 원 초과 (1주택 162.1억 원 초과, 다주택 157.8억 원 초과)	2.70%	3.00%	+0.3%p	3.20%	4.00%	+0.8%p

한편, 조정대상지역 2주택자의 세 부담 상한은 현행 200%에서 300%로 확대됩니다. 반대로 과세 표준에 사용되는 시가 기준은 기존보다 하향 조정되어 더 많은 주택 보유자가 종부세 대상이 될 가능성이 커졌습니다.

다만, 1주택자의 경우 고령자 세액 공제율을 기존 10~30%에서 20~40%로 높였고, 고령자+장기 보유 합산 공제율을 현행 70%에서 80%로 올려 부담을 줄였습니다.

서울 주요 아파트 단지 공시가격 및 보유세 추정(세율: 대책발표(안) 적용)

구분	시세	공시가격	보유세
	변동률	변동률	변동률
강남구 A단지(84.43㎡)	23.50억 원	17.63억 원	629.7만 원
	33.5%	53.0%	50.5%
강남구 B단지(84.99㎡)	29.10억 원	21.38억 원	1,042.9만 원
	22.8%	42.1%	50.0%
강남구 C단지(50.64㎡)	21.60억 원	16.04억 원	622.0만 원
	21.3%	40.2%	50.0%
서초구 D단지(84.95㎡)	34.00억 원	26.95억 원	1,684.5만 원
	20.1%	41.6%	50.0%
마포구 E단지(84.39㎡)	16.00억 원	11.80억 원	368.7만 원
	21.2%	36.5%	50.0%
A+B	52.60억 원	39.01억 원	6,558.6만 원
	27.4%	46.9%	115.21%
C+D	55.50억 원	42.99억 원	7,480.2만 원
	20.4%	41.0%	95.90%
A+B+C	74.20억 원	55.05억 원	10,179.8만 원
	27.6%	44.9%	92.84%

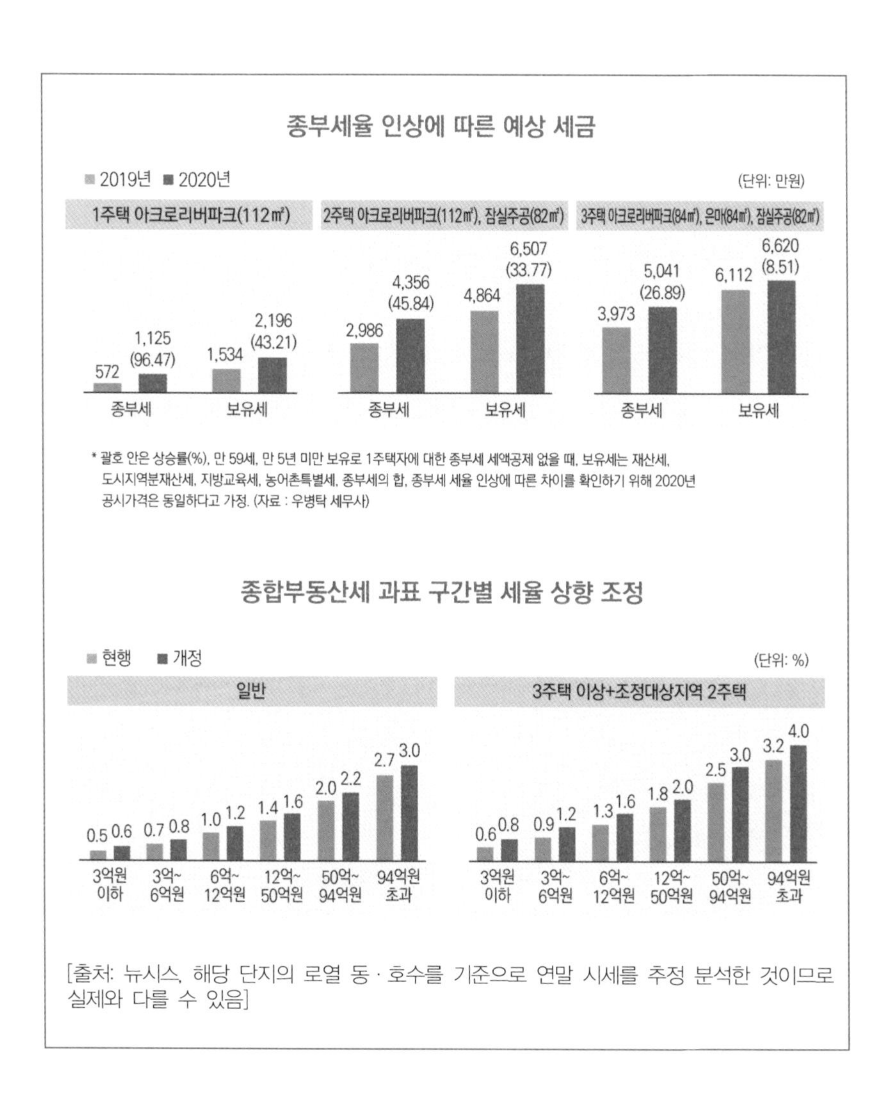

[출처: 뉴시스, 해당 단지의 로열 동·호수를 기준으로 연말 시세를 추정 분석한 것이므로 실제와 다를 수 있음]

양도소득세는 다음과 같이 강화되었습니다. 조정대상지역 일시적 2주택자의 허용 기한이 단축되었는데, 기존에는 신규 주택 취득일부터 2년 이내에 기존 주택을 양도하기만 하면 양도세 비과세 혜택을 받을 수 있었습니다. 그러나 2019년 12월 17일 이후 새로 취득하는 주택부터는 신규 주택 취득일부터 1년 이내에 기존 주택을 양도하고 신규 주택으로 전입까지 해야 양도세 비과세 혜택이 가능해집니다. 주택과 조합원 입주권에 대한 양도세율도 주택 외 부동산과 동일하게 1년 미만 50%, 2년 미만 40%로 인상되었습니다.

게다가 실거래가 9억 원 초과 고가 주택 보유자는 기존에 3년 이상 보유만 하면 장기보유특별공제를 받을 수 있었지만, 개정안에서는 보유 기간 연 4%, 거주 기간 연 4%로 구분해 장특공제를 받을 수 있습니다. 이 개정안은 2021년 1월 1일 양도분부터 적용됩니다.

새로 개선된 장기보유 특별공제

보유기간		3~4년	4~5년	5~6년	6~7년	7~8년	8~9년	9~10년	10년 이상
1 주택	합계	24%	32%	40%	48%	56%	64%	72%	80%
	보유	12%	16%	20%	24%	28%	32%	36%	40%
	거주	12%	16%	20%	24%	28%	32%	36%	40%
다주택		6%	8%	10%	12%	14%	16%	18%	*20~30%

2년 미만 보유 주택에 양도소득세 인상

구분		주택 외 부동산	주택 · 조합원 입주권	
			현행	개선
보유기간	1년 미만	50%	40%	50%
	2년 미만	40%	기본 세율	40%
	2년 이상	기본 세율	기본 세율	기본 세율

한편, 이번 개정안에서는 다주택자의 매각 유도책으로 2020년 6월까지 조정대상지역 내 다주택자가 10년 이상 보유한 주택을 양도하는 경우, 양도세를 한시적으로 중과 배제하는 정책도 포함되어 있습니다.

민간 택지 분양가 상한제 적용 지역에 대해서는 서울 8개 자치구(강남, 서초, 송파, 강동, 마포, 용산, 성동, 영등포) 27개 동에 분양가 상한제가 적용되는 기존 안을 확대하여 개정안에서는 서울 13개 구의 전체 동과 정비 사업 등 이슈가 있는 지역 5개 37개 동, 그리고 경기 지역 3개 시의 13개 동으로 대폭 넓혔습니다.

민간 택지 분양가 상한제 적용 지역 확대

구분	집값 상승 선도 지역		정비사업 이슈
	서울 평균 초과 (주택 종합 or APT)	수도권 1.5배 초과 (주택 종합 or APT)	
지역	강남, 서초, 송파, 강동, 영등포, 마포, 성동, 동작, 양천, 용산, 서대문, 중구, 광진, 과천, 광명, 하남		강서, 노원, 동대문, 성북, 은평

구분	지정		
집값 상승 선도 지역	서울	강남, 서초, 송파, 강동, 영등포, 마포, 성동, 동작, 양천, 용산, 중구, 광진, 서대문	
	경기	광명(4개 동)	광명, 소하, 철산, 하안
		하남(4개 동)	창우, 신장, 덕풍, 풍산
		과천(5개 동)	별양, 부림, 원문, 주암, 중앙
정비 사업 등 이슈 지역	서울	강서(5개 동)	방화, 공항, 마곡, 등촌, 화곡
		노원(4개 동)	상계, 월계, 중계, 하계
		동대문(8개 동)	이문, 휘경, 제기, 용두, 청량리, 답십리, 회기, 전농
		성북(13개 동)	성북, 정릉, 장위, 돈암, 길음, 보문동1가, 동소문동2 · 3가, 안암동3가, 동선동4가, 삼선동1 · 2 · 3가
		은평(7개 동)	불광, 갈현, 수색, 신사, 증산, 대조, 역촌

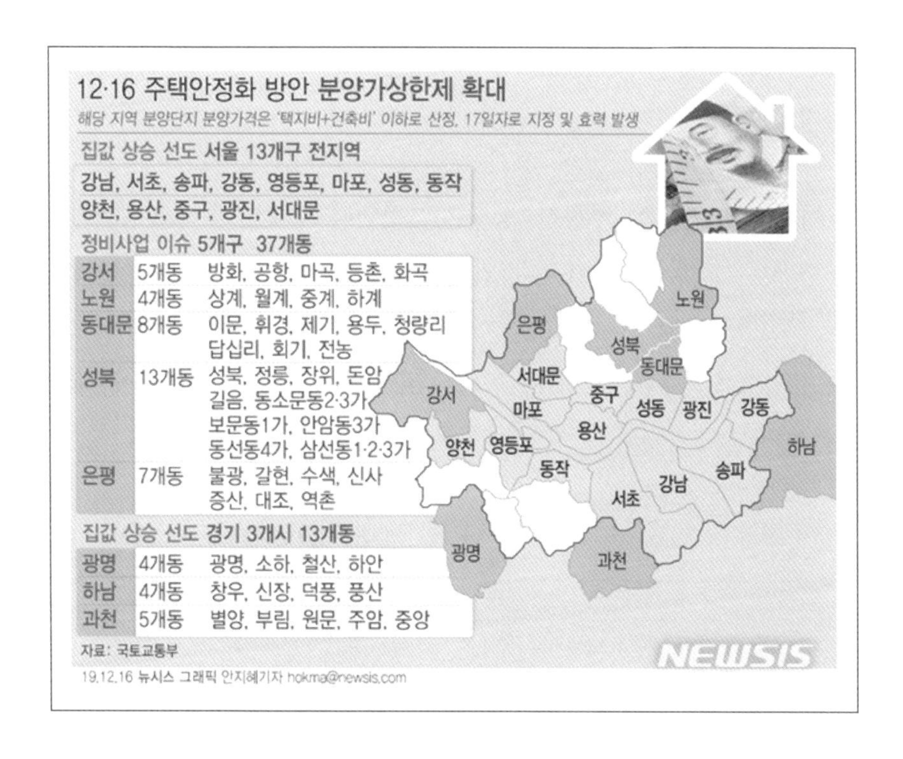

이러한 종합 대책으로 인한 후폭풍 또는 풍선효과로는 강남의 고가 아파트에 대한 구매 선호도 약화, 꼬마빌딩이나 오피스텔 등 수익형 부동산의 인기 상승, 규제 대상 지역이 아닌 수원, 대전 등지의 가격이 상승하는 풍선효과 발생, 그리고 개인 계정의 주택매입이 아니라 법인 계정의 주택매입이 늘어날 것으로 부동산 업계에서는 예측하고 있습니다.

다음으로는 12 · 16 대책의 후속 세부 내용으로 2020년 1월 20일부터 강화된 전세 대출 관련 내용도 살펴보겠습니다. 9억 원 이상 '고가주택'을 한 채라도 갖고 있으면서 다른 집에 전세를 살고 있거나, 전세를 끼고 고가 주택을 사는 사람들을 실수요자가 아닌 투기세력으로 규정한 조치입니다.

이제까지 정부의 부동산 정책은 '1주택자=실수요자'라고 봤지만, 이번에는 그 전제를 깨뜨린 것입니다. KB국민은행 주택 통계에 따르면, 2019년 11월 현재 서울의 아파트 중위가격(가격 순으로 줄 세웠을 때 정 중앙에 해당하는 가격)이 8억 9,751만 원으로 거의 9억 원에 해당됩니다.[26]

2020. 1. 20. 이후 신규 시행되는 전세 대출 규제

신규 전세 대출 제한
9억 원 초과 주택 보유 시 전세 대출 금지
단, 직장 이전이나 자녀 학업상 이유 등으로 전셋집을 구할 때, 자가 · 전셋집 모두 실거주하는 조건으로 허용

전세 사는 1주택자의 전세 대출 만기 연장 제한 (보유 주택이 9억 원 넘을 경우)
같은 전셋집, 같은 전세금일 때는 만기 연장 가능
전셋집을 옮기거나 전세금 증액할 때는 만기 연장 불가

전세대출 후 주택 구입 시 대출금 회수
전세 대출 후 9억 원 넘는 주택을 사거나 2주택자 이상이 될 경우 대출금 회수

26) 김은정 · 이기훈 기자, 「오늘부터 전세대출 규제 시작…전셋집 옮겨도 대출연장 못한다」, 조선일보, 2020. 1. 20,

2020년 1월 20일 이전에 9억 원이 넘는 집을 가지고 있는데 전세 대출을 받은 경우, 만기 때 동일 전셋집에서 대출 증액 없이 계속 거주하는 경우에는 대출이 연장됩니다. 그러나 전셋집을 옮기거나 전세 대출금을 증액해야 하는 경우는 만기 연장이 안 됩니다. 이를 신규 대출로 간주하기 때문입니다.

예컨대 서울의 9억 원이 넘는 아파트를 월세로 주고 지방에 전세로 살고 있는 A씨는 근무지를 옮기게 되어 타지역에서 전세를 구해야 할 경우, 12 · 16 부동산 대책에 막혀 대출을 못 받게 됩니다. 정부는 직장 전근이나 자녀 교육 등의 사유를 예외로 인정하고 있지만, 이 경우에도 자가(서울 아파트)와 새로 구할 전셋집 모두에 실 거주해야 한다는 요건이 붙기 때문입니다. 서울 아파트에 타인이 거주하며 월세를 받고 있기 때문에 대출을 받을 수 없는 것입니다.

또한 서울 강북의 9억 원 초과 주택 보유자가 자녀 교육 문제로 강남 · 목동 등지로 전세를 구해 이사하려는 경우는 같은 도시 내 이동이어서 원천적으로 전세 대출이 안 됩니다. 수도권에 살다가 자녀 교육 문제로 서울로 이전하는 경우에도 자가와 전셋집 모두 살아야 한다는 요건을 충족 못 한다면 대출을 받을 수 없습니다.

이상의 전세 대출 규제는 재산권의 행사를 과다하게 침해하는 문제도 있고, 금융권에서 일일이 개인의 거주 상황을 확인하여 대출 규제를 행해야 하므로 개개인의 거주 정보 보호의 문제도 있습니다. 또한 과연 '시가 9억 원'이라는 준거 가격이 누구에 의해서 관리되고 공표

되어야 하는지, 그리고 가격이 크게 하락할 경우에는 또 어떻게 할 것인지 등의 현실적인 문세도 숱하게 발생될 것으로 보입니다.

종부세 부담 커지고 (단위:%)

과세표준	1주택, 조정대상지역 외 2주택	3주택 이상, 조정대상지역 2주택
3억원 이하	0.5 ➡ 0.6	0.6 ➡ 0.8
3억~6억원	0.7 ➡ 0.8	0.9 ➡ 1.2
6억~12억원	1 ➡ 1.2	1.3 ➡ 1.6
12억~50억원	1.4 ➡ 1.6	1.8 ➡ 2
50억~94억원	2 ➡ 2.2	2.5 ➡ 3
94억원 초과	2.7 ➡ 3	3.2 ➡ 4

*종부세 과세표준=(공시가격 합계-6억원)×공정시장가액비율 (2019년 85%, 2020년 90%)

3주택 이상 보유세 늘어 (단위:원)

공시가격	20억	30억	50억	100억
시가 (종부세 과세표준)	26.7억 (12.6억)	37.5억 (21.6억)	62.5억 (39.6억)	125억 (84.6억)
재산세	417만	657만	1137만	2337만
종부세 현행	1036만	2440만	5248만	1억4690만
개정	1378만	2962만	6130만	1억7510만
종부세 증가	+342만	+522만	+882만	+2820만

*자료:기획재정부

갈수록 강화되는 대출 규제

규제 대상	내용
시가 15억원 초과 주택	주택담보대출 전면 금지
시가 9억~15억원 주택	9억원까지 LTV 40%, 9억원 초과분에 대해선 LTV 20% 적용
시가 9억원 초과 주택	DSR 규제를 은행별 평균 40% 이내에서 차주별 40% 이내로 강화
주택임대업 개인사업자 RTI	1.25배 이상에서 1.5배 이상으로 강화
전세대출	서울보증보험, 시가 9억원 초과 주택 구입 · 보유 차주에 보증 제한

주택가격별 대출 한도 감소

주택가격	계산식	대출 가능액	LTV
9억원	9억원 ⊗ 40% ⊕ 0억원 ⊗ 20%	3억6000만원	40%
12억원	9억원 ⊗ 40% ⊕ 3억원 ⊗ 20%	4억2000만원	35%
15억원	9억원 ⊗ 40% ⊕ 6억원 ⊗ 20%	4억8000만원	32%

*자료:금융위원회

[그래프 출처: 부동산 절세 & 대출 비법, 김경민 · 강승태 · 정다운 · 나건웅 기자, 2020. 2. 7., 매경이코노미]

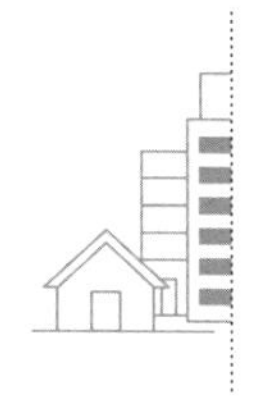

정책 10
수도권 공급 대책(2020. 5. 6.), 토지공개념, 부동산 국민공유제

그동안 수많은 전문가들이 지적해 왔던 공급 대책 부족의 목소리가 뒤늦게나마 정부 당국자들의 귀에 들어갔는지는 모르겠으나, 국토교통부에서는 2020년 5월 6일에 공공개발 사업 활성화와 역세권 개발 등을 통해 서울 도심을 비롯한 수도권 주택 공급을 확대하는 내용의 '수도권 주택공급 기반 강화 방안'을 발표했습니다. 개인적으로는 칭찬할 만한 좋은 정책 기조의 변화라고 생각합니다만, 현실적인 문제가 여럿 존재하므로 과연 효과가 어떻게 나타날지는 좀 더 지켜보아야 할 것 같습니다.

정부는 이번 대책을 통해 서울 도심에 주택 7만 가구를 공급할 수 있는 부지를 확보한다는 방침이며, 2023년 이후에는 수도권에 연평균 25만 가구 이상 주택공급이 가능하도록 한다는 계획입니다.

공공재개발	20,000가구
도심 내 유휴부지 추가 확보	15,000가구
가로주택 정비사업 등 소규모 정비사업 보완	12,000가구
역세권 민간주택사업 활성화	8,000가구
1인용 주거공급	8,000가구
준 공업지역 활용	7,000가구
합계	70,000가구

도심 내 공급 기반 강화[서울 7만 호 추가 공급]			수도권 공급계획의 조기 이행
공공성을 강화한 정비사업 활성화	유휴공간 정비 및 재활용	도심 내 유휴부지 추가 확보	
◈ 공공재개발 활성화 • LH·SH 사업참여 및 주택공급활성화 지구 지정 ◈ 소규모정비 보완 • 가로주택정비사업 추가 제도개선 • 공공기여시 민간 소규모 재건축 지원 ◈ 역세권 민간사업 • 용도지역 상향 등	◈ 준공업지역 내 공장 이전 부지 활용 • 민관합동 공모를 통한 앵커조성 등 ◈ 오피스 공실 등을 1인용 공공임대로 용도변경	◈ 국공유지 활용 • 문화체육시설 등과 공공임대주택 건설 ◈ 코레일 부지 활용 • 역세권 우수입지 활용 공공임대 건설 ◈ 공공시설 복합화 • 노후 공공시설 복합개발 ◈ 사유지 개발 공공기여 • 사유지 용도지역 변경시 기부채납	◈ 수도권 30만 호 조기화 • 3기 신도시 등 지구지정 완료 • 지구계획·토지보상 병행 등 패스트 트랙 적용 ◈ 수도권 공공택지 아파트 지속공급 • 향후 77만 호 공급 • 일부 공공택지에서 사전 청약제 시행

[그래프 출처: 부동산 절세 & 대출 비법, 김경민 · 강승태 · 정다운 · 나건웅 기자, 2020. 2. 7., 매경이코노미]

이렇게 서울 도심에 추가로 확보되는 주택 70,000가구는 크게 재개발과 소규모 정비사업 활성화로 공급하는 40,000가구, 용산 정비창 등 유휴부지 개발로 확보하는 1만 5,000가구, 공실 상가 등의 주택 개조와 준 공업지역 활성화로 만드는 1만 5,000가구로 구성되어 있습니다.

이 중에서 가장 눈에 띄는 공급지역은 한국철도공사(코레일)가 보유한 용산역 정비창 부지입니다. 정부는 이곳을 개발해 8,000가구가 들어서는 미니 신도시로 조성할 계획이라고 합니다.

그러면 서두에 설명한 현실적인 실행상의 문제들에 대해서도 간단히 살펴보겠습니다. 짧게 요약하자면 가격 및 재정 예산, 속도 및 품질, 배정 기회 균등 및 임대아파트 관리상의 문제 등이 있다고 생각됩니다.

첫째, 분양 · 임대 가격을 어떻게 책정하고 재정 예산을 얼마나 투입할 것인지를 정하기가 상당히 어려운 문제입니다. 너무 싸다면 '로또 분양'이 되어 경쟁률이 높아지고 재정 투입 규모가 증가하며, 반대로 너무 비싸다면 '그림의 떡'이 되어 현금 부자들만 입주할 수 있는 문제가 생길 것입니다. 코로나 사태로 인해 의료, 일자리 확보, 취약계층, 산업 경제계 등 정부의 재정 투입이 필요한 분야와 규모가 갈수록 급증하고 있는 이 시점에 서울 시내 주택공급에까지 재정을 얼마나 투입해야 할지 결정하기가 쉽지 않아 보입니다.

둘째, 속도 및 품질도 마찬가지입니다. 가격 책정과 예산 투입 문제와 맞물려서 얼마나 빨리 개발과 공급이 가능할 것인지, 기존의 다른 공공분양 및 임대아파트와의 형평성이 유지되는 품질을 제공할 것인지도 어려운 문제입니다. 특히 용산은 이미 수년 전부터 매각이나 개발 계획이 제대로 진행되지 못했던 지역입니다. 현재로서는 부지의 최종 확보조차도 2022년경 예상인데, 실제 공급 완료까지는 얼마나 더 시간이 걸릴지 의문입니다.

셋째, 배정 기회 균등과 임대아파트에 대한 차별적 시각과 사후관리 등의 문제가 있습니다. 서울 도심의 대량 공공 개발 공급은 최근에 전례가 없었던 일이기 때문에 이를 얼마나 젊은 층, 신혼부부들에게도 배정해 주어야 하는지 고민스러운 일입니다. 그리고 임대아파트를 대량으로 공급할 때 이를 차별적인 시각으로 대하는 반발심리와 임대아파트의 사후관리가 잘 이루어지도록 하는 안전장치 마련 등등 여러 가지 산재한 디테일한 문제들을 얼마나 현명하게 대처하고 해결할 것인지가 관건입니다.

끝으로 최근 집권여당의 총선 대승으로 인해 여권 일각에서 종종 언급되고 있는 토지공개념과 부동산 국민공유제(부동산 관련 세금을 늘려서 이를 재원으로 국가가 부동산을 매입, 개발, 공급하자는 제도)에 관해서도 간단히 언급해 보겠습니다.

토지공개념과 부동산 국민공유제에 대해서는 요컨대 '모든 국민의 재산권을 보장'하도록 규정한 헌법 제43조 제1항에 위배된다는 원론적인 주장이 있으며, 부동산으로 인한 부의 불평등이 심화된 이제는 '공공필요에 의한 재산권의 수용 · 사용 또는 제한 및 그에 대한 보상은 법률로써 하되, 정당한 보상을 지급하여야 한다'라고 규정한 헌법 제43조 제3항의 적용이 필요하다는 현실적인 주장이 있습니다.

참고 헌법 제23조 전문

① 모든 국민의 재산권은 보장된다. 그 내용과 한계는 법률로 정한다.

② 재산권의 행사는 공공복리에 적합하도록 하여야 한다.

③ 공공필요에 의한 재산권의 수용 · 사용 또는 제한 및 그에 대한 보상은 법률로써 하되, 정당한 보상을 지급하여야 한다.

원론적 · 현실적 주장 양측 다 일리 있는 주장이므로 어느 한쪽의 편을 들기는 쉽지 않습니다. 또한 양쪽의 주장을 절충한 그 어떤 최적의 방안을 정부에서 도입할 수도 있습니다. 따라서 본 책에서는 '토지공개념'에 대한 찬반론이나 예측에 대해서는 접어두겠습니다. 대신 이러한 정책을 과연 시행할 수 있을지에 대한 실행 가능성과 더불어 개인 투자자 입장에서는 이러한 정책에 어떻게 대응하고 준비해야 하는지에 대한 내용만 간략히 언급해 보겠습니다.

먼저 실행 가능성을 보자면, 총 300석 중 범여권이 180석 이상에 달하는 막대한 국회의원 의석 수에도 불구하고 '토지공개념'과 '부동산 국민공유제'를 명시적 · 전면적으로 실시할 가능성은 낮다고 보아야 할 것입니다.

사실 실제로 토지공개념 및 관련 정책은 이미 예전부터 존재해 왔습니다. 이승만 정부의 토지개혁, 박정희 정부의 그린벨트 지정과 주택복권 추첨, 노무현 정부의 종합부동산세 등이 그런 개념을 바탕으로 실행된 정책입니다. 하지만 토지공개념 도입을 위한 헌법 개정에 대해서는 헌법 및 경제 관련 전문가들 사이에서도 아직 찬반양론이 팽팽하게 맞서고 있습니다. 상당수의 중도층 국민들 역시 급격한 헌법 개정에는 거부감이 상당할 것입니다.

부동산에 대한 헌법 개념의 재정의 외에도 숱한 미해결 난제도 많습니다. 현재의 대통령 5년 단임제, 선거제도 개혁, 정치구조 개편 등 헌법 개정이라는 테이블이 차려지면 새로 올려야 할 난제들은 꽤나 많습니다. 그 외에도 상당한 재정 부담과 증세 논의, 어떤 방법으로든 기존 토지를 정부가 확보해야 한다는 현실적인 실행 차원의 문제들도 여럿 존재합니다.

반면에 명시적 · 전면적이 아닌 다른 차원에서 묵시적 · 간접적인 우회 방안을 실행하려는 시도는 거대 여당의 정치적 파워와 지지를 기반으로 하여 충분히 나올 수 있습니다. 그러면 구체적으로는 어떤 정책이 우회 방안으로 예상되고, 부동산 투자자들은 이에 어떻게 대응하면 될까요?

이 부분에서는 필자보다 더 뛰어난 전문가들이 많이 있겠지만, 필자의 의견으로는 최대한 '싱가포르' 방식을 응용한 토지공개념 정책을 도입하거나 '민간에서 자율적 · 자발적으로 토지공개념에 가까운 제도를 도입하도록 지원하고 독려하는 것'이 무난하리라 예상합니다. 그린벨트 개발, 사원아파트, 군인아파트 등이 그것입니다.

한국의 좁은 국토면적과 더 좁은 평지면적비율, 높은 인구밀도, 대도시 집중현상 등을 감안하면 서유럽의 토지공개념 제도는 적용하기 어려우며, 싱가포르 정도의 모델이 현실적으로 가장 유력할 것이기 때문입니다. '싱가포르 모델'에서는 싱가포르의 국민 80% 이상이 거주하는 일종의 공공주택이 있습니다. 토지는 정부 소유이지만 최소 거주 기간을 넘으면 주택을 자유롭게 매매할 수도 있습니다. 이러한 공공주택은 대략 서울 강남 수준과 유사하거나 그 이상으로 비싼 일반 민간주택 가격의 절반 이하의 수준으로 공급됩니다.

이렇게 토지의 공공성을 확보하고, 민간의 자유 거래 및 이익 추구의 기회도 제공하고, 임대 거주자의 무책임과 방관으로 인한 훼손이나 슬럼화를 방지하는 융합 모델이 한국의 현실에도 적절할 것입니다.

그리고 이러한 싱가포르 모델이 실제로 구현된다면 이에 대한 투자자들의 대응은 어떻게 될까요? 이 역시 싱가포르에서도 부동산 가격이 오른 사례를 살펴보게 되면 투자자 및 시장의 대응 방안을 예상해볼 수 있습니다. 즉, 기존의 '아파트' 위주에서 벗어나 '토지' 및 재개발 시 토지 지분비용이 높은 '저층 빌라' 내지는 '상업용, 임대용 부동산', '외국인 투자 유치를 위한 부동산'들로 투자 방향이 급격히 전환될 것이라 예상해볼 수 있습니다.

아무튼 앞으로 어떤 정책이 펼쳐지고, 그 실현 가능성이 어떻게 구체화되고, 정책에 반대하는 목소리와 실무상의 어려운 점들이 어떻게 극복되어 나가는지를 계속 주목하면서 투자자 스스로 연구를 게을리하지 말아야 할 것입니다.

코로나 이후 정책 - Coronacus’ Policy

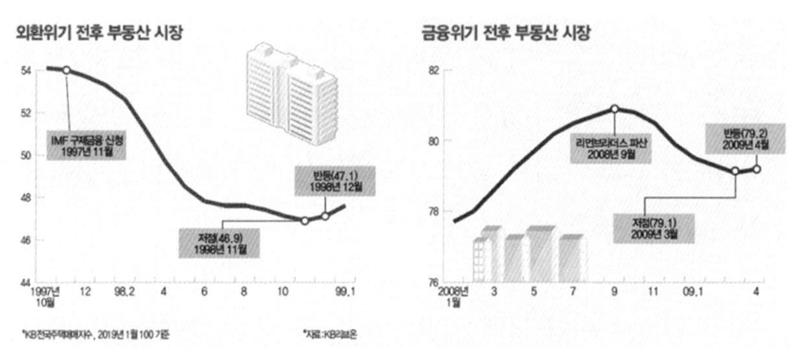

그래픽 출처: "외환 금융위기와 코로나 19 파장 비교: 외환위기 땐 코스피 7개월 새 56% 폭락-코로나, 두 달 새 35% 뚝...바닥 장담 못해", 강승태, 반진욱 기자, 2020. 4. 4. 매경이코노미

'97년 IMF 외환위기(평균 15% 하락) 시 부동산 정책	'08년 리먼사태 금융위기(평균 3% 하락) 시 부동산 정책
• 분양권 재당첨 금지 기간 단축 • 청약 자격 제한 완화 • 분양가 자율화 • 양도세 한시 면제 • 취 · 등록세 감면 • 분양권 전매 허용 • 외국인 토지취득 완화 • 토지초과이득세법 폐지	• 투기지역, 투기과열지구 해제(강남 3구 제외) • 수도권 전매제한 완화 • 재건축 규제 완화 • 지방 미분양 세제 지원 • DTI 규제 탄력 적용

코로나 이후의 정부 정책을 일개 민간인인 필자가 정확히 예측하기는 어렵습니다. '코로나 사태' 및 이로 인한 경기 불황은 아직도 현재 진행 중이기 때문에 더욱 그렇습니다. 따라서 예측의 한 대안으로 과거 '97년의 IMF 외환위기 및 '08년의 리먼사태 금융위기 시의 과거 사례를 돌이켜 보았습니다.

이번 코로나 사태를 맞이하여 현 정부는 재난지원금 등 미증유의 세금 투입 정책을 펴고 있습니다. 마치 전쟁을 치루는 것처럼 돈과 자원을 대규모로 투입합니다. 사실 '세균과의 전쟁'이나 마찬가지입니다. 미국을 비롯한 세계 각국도 사정은 마찬가지이기 때문에 반대론자들의 비난 강도도 훨씬 덜합니다. 결국 부동산 시장을 떠받치기 위해서 한국을 포함한 전 세계 정부는 정도의 차이일 뿐 자금 투입과 규제 완화에 나설 수밖에 없을 것입니다.

아무튼 그 무시무시했던 'IMF 사태'도 1년 남짓 후에는 서서히 회복세로 돌아섰던 과거가 있습니다. 리먼사태 금융위기 시에는 6개월 정도로 좀 더 빨랐습니다. 따라서 필자는 이번 코로나 사태 역시 아무리 심해도 1년 정도 뒤에는 치료제가 개발되거나, 사람들이 심리적으로 익숙해지거나 해서 위기 상황이 잦아들지 않을까 예상해 봅니다.

하지만 물론 그 과정에서 거대한 후폭풍은 필연적으로 겪어야 할 것입니다. IMF 때도 부동산 지수가 평균 15% 하락했다고는 하지만, 일시적인 유동성 위기로 인해 최저점에 달했을 때는 30~40%의 하락도 속출했었습니다. 수많은 사람들이 전 재산과 집을 잃고 은행에는 담보로 잡힌 아파트들의 경매나 부실채권 매각이 쏟아졌었습니다.

정책의 추이나 예측을 떠나 조심하고 또 조심해도 부족하지 않을 것입니다.

어떤 부동산을 어떻게 사고팔까?

Investment

투자 ❶ '부동산 단타매매'와 '갭투자'에 대해

투자 ❷ 개발정보 수집과 현장답사를 중시하라

투자 ❸ 더 빠른, 더 편한 개발정보를 중시하라

투자 ❹ 알아야 보인다

투자 ❺ 내가 좋아하는 (X), 다른 사람들이 좋아하는 (O)

투자 ❻ 다양한 투자방식을 공부하고 받아들여라

투자 ❼ 아파트 단타매매 노하우 사례

투자 ❽ 양도세를 겁내지 마라, 번 돈에서 낸다

투자 ❾ 부동산 규제를 이해하고 향후 풍선효과에 주의하라

투자 ❿ 리스크를 줄이고 수익성을 높이는 부동산 투자

코로나 이후 투자 Coronacus' Investment

Part 03

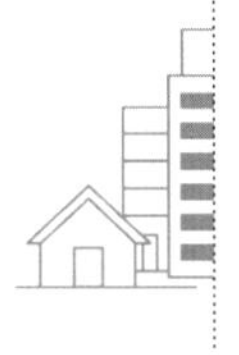

투자 1
'부동산 단타매매'와 '갭투자'에 대해

부동산 정책에 대한 내용은 이 정도로 접어두고, 이제 구체적인 부동산 투자 방안에 대해 정리해 보겠습니다.

먼저, '부동산 단타매매'와 '갭투자'를 소위 '부동산 투기'와 동일시하고 비난하는 현상이 많은데, 이 비난에 대해 한번 살펴보고자 합니다. 아래의 기사를 살펴보겠습니다.

3년 이내 사고판 부동산 단타족, 5년간 매매차익 23조 원 벌었다

[이대혁 기자, 2019. 10. 29., 한국일보]

5년간 보유기간별 부동산 양도소득세 신고현황

(건, 억 원)

부동산 보유 기간	2013년		2014년		2015년		2016년		2017년		4년간 증가율	
	자산 건수	양도 소득	자산 건수	양도 소득	자산 건수	양도 소득	자산 건수	양도 소득	자산 건수	양도 소득	자산 건수	양도 소득
합계	739,701	313,211	832,576	395,773	952,970	552,235	912,878	558,449	956,027	613,976	29%	96%
1년 미만	36,156	4,188	46,827	6,100	59,830	9,453	54,083	10,302	49,913	9,080	38%	117%
2년 미만	32,592	6,100	48,003	10,115	71,342	19,092	78,087	22,355	78,454	24,631	141%	304%
3년 미만	49,538	12,042	51,253	14,588	59,663	21,365	64,723	26,404	77,531	33,997	57%	182%
3년 미만 합계	118,286	22,330	146,083	30,803	190,835	49,910	196,893	59,061	205,898	67,708	74%	203%
5년 미만	73,283	22,031	86,363	27,420	97,047	36,902	84,718	36,737	90,429	44,786	23%	103%
10년 미만	192,289	73,948	200,688	80,713	215,475	102,466	189,273	95065	180,270	92,532	-6%	25%
10년 이상	355,843	194,902	399,442	256,838	449,613	362,958	441,994	367,586	479,430	408,950	35%	110%

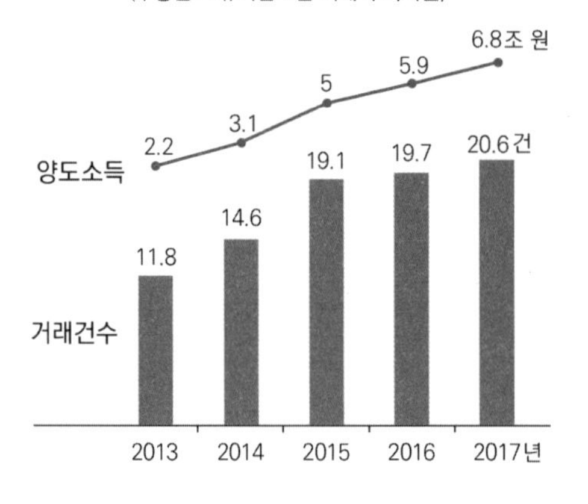

2013~2017년 사이 집을 매입했다가 3년 이내에 매매한 이른바 '부동산 단타족'의 매매차익이 총 23조 원에 달하는 것으로 나타났다. 같은 기간 이들이 낸 세금은 8조 원에 불과해 15조 원에 달하는 양도소득을 올린 것으로 집계됐다.

29일 국회 기획재정위원회 소속 김두관 의원(더불어민주당)이 국세청으로부터 받은 '2013~2017년 보유기간별 부동산 양도소득세 신고현황'에 따르면, 매입 후 3년 이내 거래 건수는 2013년 11만 8,286건에서 2017년 20만 5,898건으로 74% 늘었다. 같은 기간 거래에 따른 양도소득은 2013년 2조3,330억 원에서 2017년 6조 7,708억 원으로 무려 203%나 치솟았다. 2013년부터 2017년까지 매입 후 3년 이내 매매로 인한 양도소득은 총 22조 9,812억 원에 달한다.

특히 부동산을 매입한 지 1~2년 사이 재거래에 따른 자산양도 건수는 2013년 3만 2,592건에서 2017년 7만 8,454건으로 141% 증가한데 비해, 양도소득 금액은 같은 기간 6,100억 원에서 2조 4,631억 원으로 304%나 급증했다.

또 같은 기간 전체 부동산 거래 건수는 73만 9,701건에서 95만 6,027건으로 29% 늘어나는데 그쳤지만, 양도소득은 31조 3,211억 원에서 61조 3,976억 원으로 96% 증가했다. 3년 이내 단타족들의 양도소득 증가율(203%)이 전체 부동산 거래에 따른 양도소득의 2배 이상인 셈이다.

위 기사에 나와 있는 데이터를 정리해 본 결과, 보유기간 3년 미만의 '부동산 단타족'은 5년간의 전체 부동산 거래 건수 440만 건 중에서 86만 건의 **거래 건수**를 차지하여 **20%가량**의 비중을 차지하고 있는 것으로 나타났습니다. 또한 양도소득 **신고 금액 기준**으로는 5년간의 전체 양도소득 24조 원 중에서 2.3조 원가량을 차지하여 **9%가량**의 비중을 차지하고 있습니다.

다음으로 갭투자에 관한 기사도 하나 살펴볼까요.

[2030갭투자] ② "비트코인 꼴 날라"…투기열풍에 초고강도 카드 만지작

강신우 기자, 2020. 1. 16., 이데일리

국토교통부에 따르면 지난해 11월 기준 서울에서 전세보증금을 승계해 집을 산 갭투자 비중은 56.1%, 강남4구에선 63.5%에 달했다. 이 비율은 지난해 7월부터 매달 빠른 속도로 증가했으며 이들 중 상당수가 20~30대 젊은 층으로 국토부는 분석하고 있다.

정부의 한 고위공무원은 "금융위원회가 9억 원 초과 주택에 대해 LTV 20%로 제한, 15억 원 초과 주택 대출 전면금지 카드를 꺼내든 것은 젊은 층들의 묻지마 갭투자가 극성을 부리고 있다고 판단했기 때문"이라며 "몇 년 전 비트코인 투자 광풍 때와 비슷하다는 위기감까지 나오는 상황"이라고 말했다. 이 관계자는 "강도 높은 규제에도 투기 열풍이 멈추지 않으면 대출 및 금융규제 추가 확대, 최근 거론되는 주택매매거래허가제 등 단계별 메뉴얼을 만들어 놨다"고 덧붙였다.

다만, 갭투자를 단순히 특정 세대의 투기성 쏠림 현상으로 볼 것만은 아니라는 지적도 나온다. 자가를 원하는 30대의 욕구와는 엇갈린 정책만 내놓은 정부의 책임도 뒤따른다는 이야기다.

한국감정원 통계를 보면 최근 3개월간(2019년 9월~11월) 서울 아파트 연령대별 구매 건수에서 30대가 8,061건으로 가장 많았고 이어 40대(7,672건), 50대(5,077건), 60대(2,782건) 순을 보였다.

> 서울 아파트는 지난 2017년 10월부터 전용면적 85㎡ 이하 청약 시 추첨제를 폐지, 100% 가점제를 도입했다. 이 때문에 청약 가점이 평균 60점대인 상황에서 40점대에 불과한 30대 실수요자들은 분양시장 진입이 사실상 막혔고, 공급 정책은 임대에만 집중되어 있어 내 집 마련의 최선이 '갭투자'라는 인식이 팽배해졌다.
>
> 심교언 건국대 부동산학과 교수는 "청약시장은 과열되어 30대가 서울 아파트를 분양받기 어렵고 서울 아파트 중위가격이 9억 원인 상황에서 대출까지 막아 버렸으니 결국 갈 곳은 갭투자 밖에 없는 것"이라며 "집값이 계속 올라 결국 서울서 자가 마련은 하지 못할 것이라는 불안심리가 갭투자를 부추기고 있는 것"이라고 지적했다.
>
> 부동산시장 전문가들은 최근 갭투자가 더 위험할 수 있다고 경고한다. 갭차이가 커지고 있어 투자액이 상대적으로 많이 들어 '레버리지 효과'가 적고, 매입 후 집값이 떨어지면 손실이 클 수밖에 없다.

필자는 이러한 부동산 '단타족'이나 '갭투자'가 좋다거나 혹은 나쁘다거나 등 찬성과 비난을 할 생각은 전혀 없습니다. 다만, 독자분들에게 제기하고 싶은 질문이 있을 뿐입니다.

그것은 바로 '남들이 부동산 단타매매를 하든 갭투자를 하든 이것 역시 시장 거래 형태의 일부분인 것은 분명한데, **당신은 과연 그동안 어떤 부동산 투자를 했으며, 어떤 노력과 공부를 했는가?**'와 '(만약 당신이 지금까지 단타매매와 갭투자를 한번도 하지 않았다면) **당신은 어떤 생각으로 부동산 단타매매와 갭투자를 하지 않았는가?**'를 묻고 싶을 따름입니다.

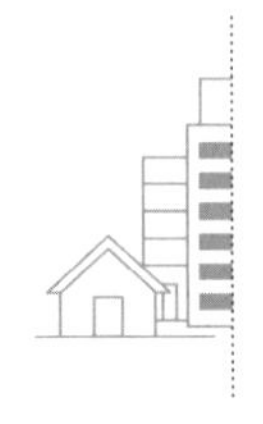

투자 2

개발정보 수집과 현장답사를 중시하라

앞 장에서는 '단타매매'와 '갭투자'에 대해 잠시 살펴보았습니다. 그러면 다음 주제로 넘어가기 전에 이쯤에서 잠시 '투자(Investment)'란 무엇이고 '투기(Speculation)'란 무엇인가에 대해서도 설명하고 싶습니다.

세계적인 투자 전략가 벤저민 그레이엄은 자신의 저서 「현명한 투자자」에서 "투자는 철저한 분석 하에서 원금의 안전과 적절한 수익을 보장하는 것이고, 이러한 조건을 충족하지 못하는 행위는 투기다"라고 정의한 바 있습니다.

필자는 감히 여기에 개인적인 사족을 조금 보완해서 '투자'와 '투기'를 재정의하고 싶습니다. 즉, **투자란 정보를 왜곡하거나 속임수 없이 거래하고, 손실이 나도 타인에게 자신의 피해를 전가하는 일 없이 이를 책임지는 경제적인 행위**라고 말하고 싶습니다. 또한 투기란 이와 정반대로 **정보의 왜곡이나 속임수가 개입되었거나, 손실이 나면 자신이 감당할 수 없는 피해로까지 확대되어 선의의 제3자에게 피해를 전가하게 되는 행위**라고 생각합니다. 즉, 최소한 이미 공개된 정보에 대해서는 이를 철저히 수집하고, 설사 다소 손실을 입게 되더라도 가족이나 친인척이나 금융기관 등 타인에게까지 피해가 가지 않도록 하는 절제되고 계획된 행위로 임하여야 한다는 생각입니다.

따라서 이렇게 적정한 수준의 투자를 위해서는 정보 수집이 가장 기초적인 순서이며, 또한 정확한 정보 수집을 위해서는 현장 답사가 필수적인 요소라고 할 수 있습니다. 부동산 투자 시의 바람직한 정보 수집 단계는 "관련 사이트 및 언론기사 검색 → 각종 증명서류 확인 → 현장 답사 및 전문가의 조언 → 투자결정"이라고 할 수 있을 것입니다.

참고 1　필수 확인서류 목록(예)

증명확인서류	확인내용	사용시기	발급처
등기사항 전부증명서	건물등기사항 전부증명서	건물이 있는 부동산 매입 시	관할 등기소, 대법원 인터넷등기소
	토지등기사항 전부증명서		
건축물 관리대장	건물의 면적, 층수, 구조 등을 확인 (거래 시 면적이 다를 경우 있음)		
토지대장	토지의 사용 용도(지목), 실제 면적 재확인	토지 매입 시	관할 지자체, 전자민원
지적도	토지의 모양과 이웃한 토지 경계 확인		
토지이용계획 확인서	용도지역/지구/구역 등 행위제한 사항 확인과 개발가능성 파악		

참고 2 현장실사 요령[27)]

- 부동산 투자는 현장에 많이 다녀볼수록 수익이 높아진다. 현장 속에 훨씬 많은 투자정보들이 숨어있다.
- 서류상의 권리분석은 가장 기본이고 안전하기는 하나 서류에만 의존하면 높은 수익률을 올리기는 어렵다.
- 수많은 투자 가능 물건들 중에서 관심지역과 개발호재 중심으로 현장방문 리스트를 만든다.
- 현장방문 시 미리 체크리스트를 만들어서 빠짐없이 주요 사항을 점검한다.
- 지방 농지나 임야의 경우 도랑이나 개울 등 자연지형으로 경계가 정해지거나 상속과정에서 지적도와 실제 사용관계가 다를 수 있어 정확한 위치와 경계확인은 필수이다.
- 아파트 등 주택의 경우 거주자(세입자) 탐문이 필수적이다. 전기 · 수도 계량기와 우편물, 이웃주민 탐문을 통해 다양한 정보를 확인할 수 있다.
- 진입로, 도로문제, 주변 시세와 수용 여부, 개발 호재 등 거래 서류 외의 요인에서도 리스크 및 잠재력을 확인해야 한다.
- 현장조사 시 반드시 탐문해야 할 곳이 해당 지역 공인중개사 사무소이다. 그 지역의 부동산 전문가인 부동산중개사무소 몇 군데를 들러서 지역사정에 대해 자문을 구하고 블록별 지가, 과거 시세 형성과 최근 거래가, 수요와 공급 등 전반적인 흐름을 탐문해야 한다.

27) 진주경매 안성욱 경매전문학원 블로그 중 "경매 투자 성공의 지름길은 꼼꼼한 '현장답사'" 내용 일부 편집, 성욱샘, 2019. 12. 13.

- 해당지역 내 거래동향과 함께 가장 최근의 신규 분양률과 청약률, 공실률, 프리미엄 등 기본적인 통계를 조사해야 한다.
- 하지만 현장 답사 시 너무 해당 지역 공인중개사 말에 과하게 의지해서도 안 된다. 중개업자는 그 지역 상황에 대해 호의적으로만 생각해 전망도 밝게 보는 게 일반적이다.
- 해당 지역에서 오랫동안 영업한 상인이나 지역 유지 및 주민들을 탐문해 보면 입체적인 분석이 가능하게 된다. 따라서 해당 지역에 오래 거주한 지인 네트워크도 적극 활용해야 한다.
- 해당 지역의 미래 도시 계획안을 살펴봐야 한다. 지자체 주택과와 건축과에 들러 도시기본계획이나 군(구)정보, 통계연보, 행정통계자료 등 자료를 확보하고, 신설도로 개통 예정지에 대한 정보는 국토해양부나 지자체에서 작성한 광역교통계획망이나 신설도로 개설 계획 자료도 살펴볼 필요가 있다.

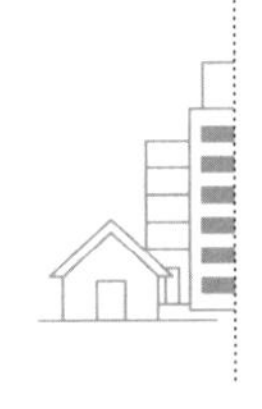

투자 3
더 빠른, 더 편한 개발정보를 중시하라

바야흐로 이제는 갈수록 부동산 투자 물건을 고르기 어려운 시대에 접어들고 있습니다. 각종 규제도 첩첩산중이고, 그 와중에 개발계획 등 특정 지역에 국한된 정책변수나 민간의 투자계획까지 고려할 요인이 한두 개가 아닙니다. 필자는 이렇게 수많은 고려 요인들 중에서 가급적 가장 일반적이고 상식적인 투자 요인을 골라서 투자에 임해야 한다고 늘 주장하고 있습니다. 예를 들면, 다음과 같은 것들입니다.

① 개발정보: 중장기 개발정보 〈 단기 구역정비

중장기 개발정보보다는 단기 구역정비에 가중치를 많이 두는 것이 좋습니다. 그 이유는 정부의 중장기 개발정보가 갈수록 실제 실현되기까지 시간이 오래 걸리고, 이해관계자들의 반발이 커지는 것을 피부로 느끼기 때문입니다.

② 교통: 지하철, 광역철도 신설 〈 도로 확장, 버스노선 신설

이 역시 마찬가지로, 정부에서 발표하는 '신설' 노선이라는 것을 100% 믿었다가는 실제 완공까지 엄청난 세월이 걸리는 경우가 많습니다. 그보다는 기존 도로의 확장 · 연장이나 실제로 피부에 바로 와닿는 버스노선 신설이 더 빠르고 확실한 개발정보입니다.

③ 직장(소득수준): 대규모 재개발(재래시장, 노후산업단지, 유흥가 및 홍등가 등의 철수, 중국동포 및 이주민 감소) 〈 대기업, 공기업 이전

해당 지역의 소득수준과 라이프스타일이 변화하는 것은 곧 그 지역 부동산 가격의 변화를 의미합니다. 이때 일반적으로 재래시장, 노후산업단지, 유흥가 및 홍등가 등의 철수, 중국동포 및 이주민의 감소는 대규모 개발계획으로 자금과 인력을 쏟아 붓지 않는 한 쉽게 이루어지지 않으며 오랜 기간이 소요되는 경우가 많습니다. 따라서 단기간에 집중적으로 확실한 개발이 이루어지지 않는다면 이러한 지역에 부동산 투자를 실행하는 것은 상당히 심사숙고해야 할 것입니다.

물론 어떤 상황에서든 예외는 있으므로 의외로 이런 지역에서도 구석에 처박혀 눈에 잘 띄지도 않음에도 불구하고 임대형 부동산이 짭짤한 수익을 올려주는 틈새시장은 있을 수 있습니다. 하지만 그런 예외적인 상황을 적기에 알게 되고, 예외적인 투자 기회가 본인에게까지 도달하여 최종 실행에 이르기까지는 매우 확률이 낮은 일일 것입니다.

그 반면에, 대기업이나 공기업의 이전으로 인한 소득수준과 라이프스타일 변화는 매우 빠르고 확실하고 강력합니다. 대기업은 '시간이 곧 돈'이므로 절대 예정된 이전 계획을 변경하지 않으며, 변경된 경우

엄청난 내부 문책이 뒤따르는 경우가 많습니다. 현대자동차가 10조 원 이상을 투자한다는 삼성동 인근 지역이 어떻게 변화하는지 살펴보는 것이 좋은 예입니다. 또한 공기업 역시 보통은 상위 정부기관의 강력한 압력과 지시로 인해 이전을 실행하며, 계획을 달성하지 못할 경우 연말 인센티브 지급 제약 등 강력한 페널티가 부여되는 것이 보통입니다. 따라서 이러한 변화의 강도와 속도를 잘 예측한다면 어떤 부동산 변화의 흐름에 빨리 올라타야 할지의 결정이 보다 쉽게 이루어지게 되는 것입니다.

④ 환경(View) 개선: 산기슭, 비탈길 주변 개발 〈 강변, 학교, 공원 개발

최근에는 지방자치단체장으로 뽑히기 위한 선거 운동이 갈수록 격화되고 있습니다. 이러한 상황에서 현직에 있는 자치단체장이 가장 신경 쓰는 일들 중 하나는 바로 지역개발사업입니다. 또 지역개발사업 중에서 뭔가 해놓은 티가 가장 쉽게 나고 사람들에게 보여지기 좋은 아이템은 강변이나 학교 운동장, 공원 개발 등 넓은 평지에 그럴듯한 산책로와 조망권을 확보해 놓는 것입니다.

산기슭이나 비탈길 주변 개발은 아주 대규모로 하지 않는 한 잘 보이지 않아서 해놓은 티도 잘 나지 않고, 가까운 인근 지역에만 혜택이 돌아가는 편입니다. 하지만 강변 등 넓은 평지에 해놓은 재개발은 View 개선 효과가 매우 크므로 현직 자치단체장 입장에서는 좀 더 손이 쉽게 가기 마련입니다.

부동산 투자 역시 이런 심리적인 관계를 잘 파악하여 실행하는 것이 좋습니다. 즉, 강변, 학교, 공원 개발 등 넓은 평지에 대해 지자체의 추가 개발 계획이 수립된다면, 그것은 인근 지역의 부동산 가격 상승 가능성이 높다는 것을 의미하는 것입니다.

⑤ 편의시설 입주: 스타벅스, 맥도날드, 이마트, CGV, 병원

앞서 말한 환경 개선 효과와 거의 유사한 내용이므로, 자세한 설명은 생략하겠습니다.

⑥ 대규모 개발에 인접한 2차 수혜지역 발굴

대규모 개발에 인접한 2차 수혜지역을 발굴하는 것도 방법입니다. 마치 업계 1등 업체의 주가가 급등하면 2~3위권 업체의 주가도 여러 가지 이유로 어느 정도 따라서 오르는 현상과도 유사합니다.

예를 들면, 위례신도시의 대규모 개발로 인한 혜택은 시차를 두고 송파구 장지동으로 넘어올 수 있습니다. 용산구의 미군기지 공원개발, 마포구의 뉴타운개발, 마곡지구의 마이스(MICE: Meeting, Incentives, Convention, Exhibition 관광 회의 융·복합산업) 호재들 역시 인접한 지역으로 확산될 수 있으므로 주목할 필요가 있습니다.

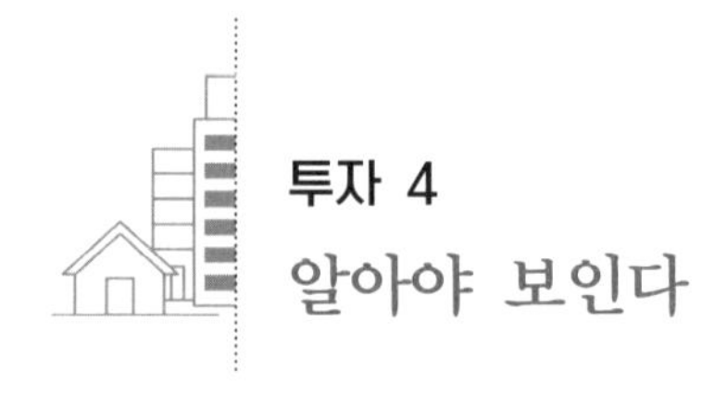

투자 4
알아야 보인다

부동산 투자는 과거, 현재, 미래의 수요 · 공급이라는 거시적인 변수, 그리고 각 부동산의 개별적인 특징에 관련된 미시적인 변수를 모두 종합하여 판단하고 결정해야 합니다.

아래에서는 각 부동산의 특징별로 반드시 잘 검토해보아야 할 미시적인 변수들을 몇 가지 예시로 들어보겠습니다.

① 건폐율? 용적률?

건폐율 = 건축면적의 합 / 대지면적 x 100%

건폐율이란, 대지면적에 대한 건축면적 1층 바닥면적 합계의 비율을 말합니다.

예 100평의 대지에 1층 면적이 70평인 건물을 지었다면, 이때의 건폐율은 70%입니다.

즉, 건폐율이 클수록 건물을 넓게 지을 수 있습니다.

- **건폐율** = 건축물의 연면적 / 대지면적 x 100%
- **용적률** = 연면적(지하층 바닥면적 및 지상층 주차면적 등 제외*)의 합 / 대지면적 x 100%

*다만, 건물의 지하층 면적은 용적률 계산에 포함되지 않는다.

용적률이란, 대지면적에 대한 건축물의 연면적 비율을 말합니다. 여기서 건축물의 연면적이란 건축물 각 층의 바닥면적의 합계입니다.

예 100평의 대지에 바닥면적이 70평인 건물을 3층으로 지으면, 이 건물의 각 층 바닥면적의 총 합계는 210평이 됩니다. 이때의 용적률은 210%입니다.

즉, 용적률이 클수록 대지면적보다 연면적을 크게 지을 수 있으므로, 그만큼 건물을 높게 지을 수 있습니다.

그러면 이러한 건폐율과 용적률이 실제 투자 시 어떤 고려 요인으로 작용할까요? 가락시영 아파트(현재는 송파 헬리오시티)의 최근 사례를 살펴봅시다.

[얼마집] "헬리오시티, 부지 종상향 후 시가총액 9조원 올라"

선한결 기자, 2018. 10. 22., 한국경제신문

헬리오시티는 1981년 입주한 가락시영을 재건축한 단지다. 재건축 추진 초기엔 부지가 2종 일반주거지역이었다. 가락시영 재건축 조합은 2006년 용적률 230%를 적용해 최고 25층 총 8,106가구 규모로 재건축할 계획을 제출해 서울시로부터 재건축 정비지역 지정을 받았다. 공공용지 기부채납을 통해 2종 일반주거지역 기준(200%)보다 완화된 용적률을 적용받을 예정이었다. 이 계획을 반영한 2008년 기준 가락시영 공시가격 총액은 4조 6,300억 원이었다.

서울시는 2011년 12월 도시계획위원회에서 가락시영 부지 일대를 3종 주거지역으로 종상향하는 안을 승인했다. 이 결정에 따라 헬리오시티는 용적률 286%를 적용해 최고 35층, 총 9,510가구 규모로 설계가 변경됐다.

국회 교통위원회 소속 정동영 민주평화당 대표는 "2015년 11월 이 단지 평균 일반분양 가격은 3.3㎡(평)당 2,548만 원으로 단지 시가 총액은 6조 8,100억 원이었고, 올해 9월 기준 헬리오시티 분양권 거래가는 3.3㎡당 4,935만 원 수준으로 시가총액이 13조 1,900억 원에 달한다"며 "2011년 종상향 결정 이전 시점 시가총액이 4조 800억 원이었던 것을 고려할 때 종상향 후 시가총액이 9조 원 가량 오른 것"이라고 말했다. 그는 "종상향 승인으로 층수가 높아지고 일반분양 세대수가 대폭 늘어나면서 재건축 사업성이 좋아졌고, 연간 시가총액이 1조 3,000억 원 가량 상승했다"고 덧붙였다.

위 사례에 나와 있듯이, 용적률을 230%에서 286%로 약 24%가량을 증가시키게 되자, 입주가구 수가 8,106가구에서 9,510가구로 약 17%가량이 증가하게 된 것입니다.

당초 잠실 인근의 일반적인 용적률은 138%라고 합니다. 그런데 용적률을 286%를 적용해 재건축할 경우 일반분양 세대수가 대폭 늘어나므로 조합원들이 내야 할 평균 분담금이 1억 원 가까이 줄어드는 효과가 나타났습니다. 결국 같은 땅에 용적률을 높일수록 건물을 더 높고 크게 올릴 수 있고, 조합원들이 내야 하는 금액이 적어져 수익성은 더 좋아진 것입니다.

② 공시지가? 기준시가? 시가표준?

공시지가란, 국토교통부 또는 각 지방자치단체장이 전국의 토지 중 대표적인 표준지를 선정하여 공시하는 현재 시점의 적정가격입니다.

기준시가란, 국세청이 국세를 징수하기 위해 건물에 대해서만(일부 예외지역에서는 토지+건물 전체) 평가하여 고시하는 가격입니다.

시가표준이란, 각 지방자치단체장이 지방세를 징수하기 위해 건물 신축가격을 기준으로 종류, 구조, 용도, 위치, 경과연수 등을 고려하여 산정 · 고시하는 가격입니다.

아래 표에서 각각의 특징을 구분해서 살펴보겠습니다.

구분	용어 설명	담당기관	발표시기	용도/비고
토지 (토지에만 산정)	표준지 공시지가: 전국의 모든 땅에 가격을 매길 수 없어 대표적인 표준지를 선정하여 이 지역의 땅값을 매긴 것	국토교통부	매년 1월	개별공시지가의 기준가격으로 삼음.
	개별 공시지가: 표준 공시지가를 측정하지 않은 토지에 대해 각 지자체에서 감정평가법인 등을 통해 매긴 땅값	시, 군, 구청장	매년 5월	국세, 지방세 산정기준
단독주택 (토지+ 건물 합계)	표준주택 공시가격: 전국 주택 중 대표성 있는 표준주택을 선정하여 이 주택의 가격을 매긴 것	국토교통부	매년 1월	개별주택 공시가격의 기준가격으로 삼음.
	개별주택 공시가격: 표준주택 공시가격을 산정하지 않은 주택에 대해 각 지자체에서 평가한 주택가격	시, 군, 구청장	매년 4월	국세, 지방세 산정기준
공동주택 (토지+ 건물 합계)	공동주택 공시가격: 전국의 공동주택(아파트, 다세대, 연립주택)에 대해서 산정, 공시하는 가격	국토교통부	매년 4월, 9월	국세, 지방세 산정기준
주택 외 (건물만)	기준시가: 주택 외 상가, 오피스텔, 건물 등에 있어서 토지를 제외한 건물에 대해서 산정, 공시하는 가격	국세청	수시	국세 산정기준 *일부 예외 지역에서는 토지+건물 전체에 대해 산정함.
주택 외 (건물만)	시가표준액: 건물 신축가격을 기준으로 종류, 구조, 경과 연수 등을 고려하여 토지를 제외한 건물에 대해 산정, 공시하는 가격	시, 군, 구청장	매년 1월	지방세 산정기준 *일부 예외 지역에서는 토지+건물 전체에 대해 산정함.

위의 표를 다시 요약하자면, 공시지가란 건축물을 제외하고 순수한 땅값만을 의미하는 것으로 표준지 공시지가와 개별 공시지가로 나뉩니다.

전국의 모든 땅에 가격을 매길 수 없어 표준지를 산정해 이 지역의 땅값을 매긴 것이 표준지 공시지가이고, 나머지 각 지자체에서 감정평가법인 등을 통해 매긴 땅값이 개별 공시지가입니다.

이 개별 공시지가는 증여세, 상속세 등 국세와 등록세, 취득세 등 지방세, 기타 개발 부담금 등 각종 비용의 부과 기준으로 쓰입니다.

기준시가는 땅값만을 정의하는 공시지가와는 달리 땅과 그 위에 지어진 건물까지 포함한 전체 재산에 대한 감정가액이라고 할 수 있습니다.

③ 아파트: 2Bay or 3Bay? 복도형 or 계단형? 타워형 or 판상형?

베이(Bay)는 '건물의 기둥과 기둥 사이의 공간'을 말하는 것으로, 이들 공간 중에서도 햇볕이 들어오는 공간을 말합니다. 예를 들어, 2Bay라고 하면 아래의 도면과 같이 거실과 방 1개가 햇볕이 드는 방향에 위치해 있습니다. 마치 정사각형과 비슷한 구조가 이뤄지며, 이는 주로 하나의 엘리베이터를 사이에 두고 두 세대가 서로 마주보고 있는 계단식 아파트에서 주로 볼 수 있는 구조입니다.[28)]

28) 백영록, 「부동산 상식사전」, 길벗(2017)

3Bay는 바깥쪽과 접하는 공간이 기둥 2개에 의해 3개의 공간으로 구분되어지는 구조입니다. 2Bay에 비해 가로 방향이 길어지는 구조가 이뤄지며, 한쪽 방향으로 일렬로 배치되는 판상형 아파트에서 주로 볼 수 있는 구조입니다.

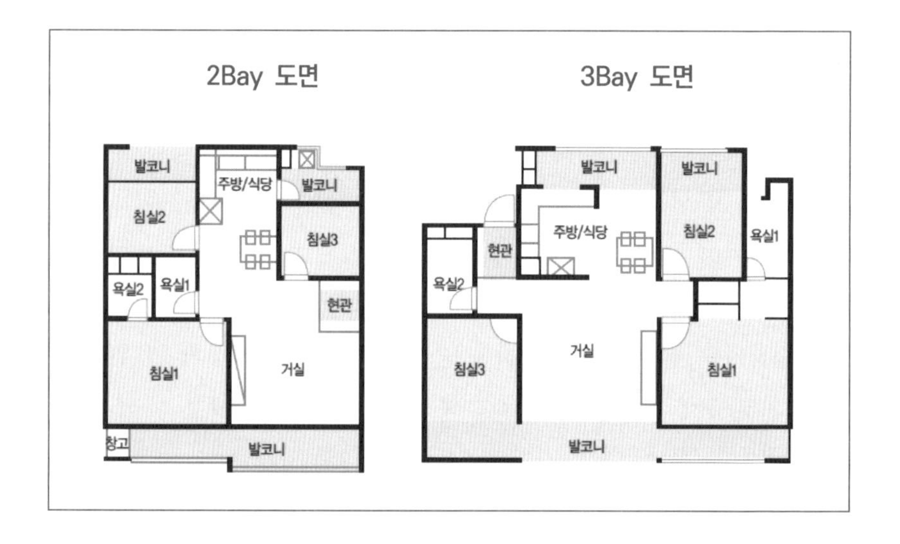

2Bay와 3Bay의 장단점은 대략 다음과 같으며, 대체로 2Bay는 1~2명이 사는 단촐한 가구에, 그리고 3Bay는 3~4명이 살면서 개별적인 공간이 필요한 가구에서 선호하는 편입니다.

복도식과 계단식의 구분은 쉽게 말해 엘리베이터를 공유하는 1개 층에 5~10개 정도의 아파트 룸(호수)이 공유 복도를 따라 줄줄이 일렬로 늘어져 있는 것이 복도식이며, 1개 층에 2~4개 정도의 아파트 룸(호수)이 엘리베이터를 공유하는 것이 계단식입니다.

구분	장점	단점
2Bay	• 집 안으로 들어가기 위해 현관에 들어섰을 때 햇볕이 드는 거실을 바로 볼 수 있어 집이 환하고 넓어 보입니다. 또한 햇볕이 드는 거실과 주방 간의 거리가 길어 실내에서도 집 안이 좁다는 생각이 들지 않습니다. • 메인 침실룸의 크기가 커서 방 하나에 침대 이외에 여러 가구를 들여놓거나 큰 생활 공간이 필요한 사람들에게 알맞은 구조라고 할 수 있습니다.	• 방 1개만 햇볕이 드는 방향에 위치하고 있어 다른 방들이 어두울 수 있습니다. 또한 현관에서 거실이 바로 보여 사생활을 침해당할 수 있고, 거실과 주방 사이에 꺾어지는 면이 있어 공간 활용이 애매한 점이 있습니다. • 현관에서 거실이 한눈에 들어오기 때문에 사생활 보호가 힘들 수 있습니다(하지만 현관 입구에 가림막이나 중문을 설치하여 이를 보완하기도 합니다).
3Bay	• 햇볕이 들어오는 방향에 방이 2개 위치해 있어 아이들 방으로 쓰거나 추가로 환한 방이 1개 더 필요한 사람들에게 좋습니다. 현관 입구가 방으로 가려져 있어 거실에서의 사생활을 보호받을 수 있으며, 거실과 주방이 일직선으로 위치해 있어 공간을 활용하기가 좋습니다.	• 햇볕이 들어오는 방향에 방을 2개 배치하다 보니 거실과 방의 크기가 2Bay에 비해 대체로 작습니다(하지만 발코니 확장을 통해 이를 보완하기도 합니다). • 주방의 구조가 좌우로 길어 조리대나 개수대 그리고 식탁 간의 거리가 조금 멉니다. 또한 방이 현관을 가리고 있어 출입구인 현관이 어둡습니다.

일반적으로 복도식은 공유 복도의 존재로 인한 소음 발생과 사생활 침해, 전용면적 축소 등 단점이 많으므로 최근의 신축 아파트들은 가급적 계단식으로 지으려는 추세입니다. 또한 복도식은 그 구조상 2 Bay가 대부분인 경우가 많습니다.

판상형 아파트란 소위 '성냥갑 아파트'라고 불리우는 전통적인 일자 외관의 획일적인 남향 아파트라고 할 수 있으며, 타워형은 판상형 아파트의 획일적인 외관을 탈피하고자 동향, 남동향, 남서향 방향의 다각형 형태로 짓거나 심지어는 원형에 가까운 형태로 짓는 아파트를 말합니다.

판상형은 외관은 아무래도 단순해보이고 밋밋한 대신 최대한 많은 가구를 남향으로 배치할 수 있고 환기 및 통풍이 잘 된다는 특징이 있습니다. 반면, 타워형은 환기 기능은 다소 떨어질 수 있지만 조망권 확보에 유리해 초고층 주상복합 아파트를 지을 때 주로 쓰입니다.[29]

구분	장점	단점
판상형	• 거의 모든 세대가 남향이어서 채광과 난방 등에 유리함. • 양쪽에 창문이 있어 통풍과 환기에 유리함. • 3Bay, 4Bay 설계가 용이하며, 서비스 면적이 넓음. • 통상적으로 타워형보다 건축비가 저렴하여 분양가가 낮음. • 통상적으로 타워형보다 관리비가 저렴함.	• 획일적인 평면형태로 이루어져 외관이 좋지 않음. • 세대별로 비슷한 내부구조로 되어 있어 구조선택의 폭이 좁음. • 단지 배치가 일렬인 경우가 많아 공원 등의 공간활용이 어려우며, 사생활 침해 우려 • 단지 수가 많고 배치의 한계로 인해 조망권이 안좋음.

29) 네이버 블로그 "치킨요정의 경제공부방" 중 "판상형 · 타워형 아파트 차이점 비교", 2018. 4. 20.

구분	장점	단점
타워형	• 세련된 외관을 자랑하며, 초고층 아파트 비율이 높아 도시의 랜드마크로 평가받는 경우가 많음. • 세대별로 다양한 구조를 적용하여 선택의 폭이 넓음. • 동별 배치가 비교적 자유로워 공원 등 녹지형성에 좋고 사생활침해 우려가 낮음. • 고층 형태가 많고, 단지 수가 적어 조망권이 좋음.	• 북향, 서향 등 일조권에 불리한 세대가 많음. • 창문방향이 한쪽 혹은 ㄱ자 형태가 많아 환기와 통풍에 불리 • 발코니 면적이 적거나 없어서 서비스 면적이 좁음. • 통상적으로 판상형보다 건축비가 비싸 분양가가 높음. • 통상적으로 판상형보다 관리비가 비쌈.

위에 표에서도 언급했듯이, 타워형이 일반적으로 건축비 및 관리비가 판상형보다 비싸다고 알려져 있습니다. 그러면, 입주 후 시세는 판상형과 타워형이 어떻게 차이가 날까요?

조선일보의 2019년 5월자 기사에 따르면, 서울 내 주요 대단지 아파트의 실거래가 자료를 바탕으로 판상형과 타워형 아파트의 집값 상승 폭을 비교해 보았다고 합니다. 그 결과는 놀랍게도 판상형이 타워형보다 5~30%가량 높은 집값 상승률을 보였다고 합니다. 이 기사에 따르면 비록 최초의 외관은 떨어지지만, 막상 입주해서 살다 보면 관리비가 저렴하고 환기 통풍이 잘 되고, 결정적으로 남향을 워낙 선호하는 한국 소비자들 입장에서는 결국 판상형 아파트의 선호도가 높다고 합니다. 이로 인해 입주 후 프리미엄은 판상형이 높다는 설명입니다.[30]

30) 이지은 기자, 「집값 잘 오르는 아파트 구조는 판상형? 타워형?」, 조선일보, 2019. 5. 24.

이상과 같은 아파트 매매의 특성을 잘 파악하여 가급적이면 3Bay, 계단형, 판상형 위주로 고르는 것이 기본적으로 바람직하겠지만, 반면에 현재 가격이 싸고 재건축 가능성 등 상승 잠재력이 높은 2Bay, 복도형, 타워형 아파트를 잘 고르는 역발상 투자도 고려될 수 있을 것입니다.

④ 빌라: 임대수익률을 기본으로, 대지면적지분 재개발 가능성을 미래 옵션가치로 놓고 고민하라

최근 아파트 가격이 너무 많이 상승하여 그 대안으로 빌라 투자에 눈을 돌려보는 경우가 많습니다.

빌라의 장점은 2~3인 가구가 저렴하게 거주할 수 있으며, 임대수익을 올리기 쉬운 것들이 있습니다. 반면 단점은 대부분의 경우 환금성과 대출 담보능력이 많이 떨어지며, 편의시설이 매우 부족하고, 방범에 취약하고, 부실공사로 인해 유지보수비가 많이 들어가고, 주거환경이 취약한 등의 단점을 갖고 있습니다.

아무튼 가격이 싼 상품은 분명히 그럴 만한 이유가 있습니다. 한 마디로 말해서, 대규모 아파트는 경험이 많은 대형 건설사에서 짓는 경우가 많지만(땅값 비싼 지역에 위치한 초호화 대형 빌라를 제외하고), 대부분의 빌라는 다소 유명세가 떨어지는 소규모 건설사가 짓기 때문에 구조, 안전성, 편의성, 소음, 냄새 등 전반적으로 퀄리티가 많이 떨어지는 편입니다.

따라서 빌라 투자시에는 건설 경험이 풍부한 건설회사가 시공한 것인지, 주차장 등 편의시설이 어느 정도 구비되어 있는지, 주거 환경이나 소음 방지, 일조량 등이 뒷받침되어 있는지, 대중교통의 접근성이 어떠한지, 인근 지역의 아파트 및 빌라에 대한 수요-공급은 어떠한지 등을 두루 점검해보는 것이 필요합니다.

그리고 가장 중요한 것으로 빌라(재개발이 완전히 확정된 경우를 제외하고)는 상당 기간 장기투자를 각오하고 투자해야 하며, 잘 팔리지 않는 최악의 경우를 대비하여 적정 임대수익률을 기본으로 고려하고 대지면적지분을 기반으로 한 재개발 가능성을 미래의 추가적인 옵션가치로 놓는 편이 바람직할 것입니다.

아무튼 빌라 투자는 분명히 나름대로의 장점도 있지만, 아파트보다 상대적으로 떨어지는 단점이 많기 때문에 기본적으로 더욱 신중하게 투자해야 할 것입니다.

⑤ 상가(기존 상가)

상가 투자시의 포인트는 시작도 수익성, 끝도 수익성입니다. 따라서 어떻게 하면 수익성이 높은 상가를 고를 수 있을까 하는 주제로 모든 것이 귀결됩니다. 수익성이 높은 상가를 고르기 위해서 아래에 몇 가지 기본적인 팁을 예로 들어 보겠습니다.

노점상이 약간은 있는 상가가 대체로 수익성 면에서 유리한 편입니다. 노점상이 너무 없다는 것은 적정 규모의 유동 인구가 부족한 것

아닌지 유심히 살펴보아야 하며, 노점상이 너무 많으면 주차와 통행에 방해가 되기도 합니다. 기존 노점상이 적절하게 있다는 것은 유동인구 및 소비 금액이 상당히 존재한다는 것을 의미합니다. 이때 노점상과 업종이 겹치는 품목은 피해야 하는 것이 당연할 것입니다.

권리금이 있는 상가가 대체로 수익성 면에서 유리한 편입니다. 하지만 인근 지역을 두루 살펴보고 그 권리금이 적정 수준인지, 새로운 상가 공급은 없는지도 잘 확인해야 할 것입니다.

주변 상가의 특성에 맞지 않는 동떨어진 업종은 불리한 편입니다. 소위 말해 그 지역의 대세를 따라야 합니다. 병원과 약국이 가득한 상가에는 건강보조기구나 의료기구 판매용 매장이 적합할 것이며, 음식료나 오락 매장이 들어서기에는 적합하지 않을 것입니다.

또한 대체로 퇴근길에 사람이 몰리는 동선에 위치한 상가가 출근길 상가보다 유리한 편입니다. 객단가와 소비 시간에 있어서 퇴근길이 훨씬 압도적이기 때문입니다.

상가는 물론이고 부동산, 금융상품, 증권 등 어떤 투자든 투자를 알선하는 사람의 이야기만 듣고 투자를 해서는 안 될 것입니다. 결국 그 피해는 고스란히 내가 져야 하기 때문에, 투자를 결정하기 전 반드시 시장조사를 해야 합니다. 상가가 들어서는 주변 상권의 상황이 어떤지 직접 가보고 유동인구가 많은지 체크해 봐야 합니다.

낮과 밤, 주중과 주말의 편차가 어느 정도인지도 각각 시간대, 요일별로 방문해서 수요자들이 어떻게 바뀌고 소비가 이뤄지는지 확인해야 합니다.

⑥ 상가 & 오피스텔(신규 분양물 계약)

상가나 오피스텔 신규 분양물 구입 계약시의 포인트는 확인, 재확인, 재재확인입니다. 매각 상대방이 내미는 서류와 광고를 믿지 말고 뭐든지 직접 확인해야 합니다.

혹시 수익률이나 원금을 보장하는 조건을 내세우는 경우에는 판매자에게 양해를 구하고, 이를 계약서상에 메모 형태라도 좋으니 해당 특약사항을 별도로 기재하고 날인을 받는 등 서류상의 증거능력을 확실히 확보해야 합니다.

신규 상가 투자의 경우 비율 분석을 적용하는 방법도 있습니다. 일반적으로 아파트 단지 내의 신규 상가에 투자할 때는 가구당 상가 면적이 0.4평 내외인 곳이 적당합니다. 즉, 1,000가구 수의 대단지 아파트라면 400평 이상의 상가가 분양되는 것이 적절하다는 것입니다.

아파트 단지 내 세대수를 기준으로 상가의 적정 매출액과 임대료를 추산하는 분석 방법도 있습니다. 예를 들어, 송파 헬리오시티는 총 9,510가구로 구성되어 있습니다. 계산의 편의성을 위해 이를 1만 가구라고 가정하고, 3~4인으로 구성된 1가구에서 월 평균 소비하는 금액은 약 250만 원 정도라고 가정합니다. 그렇다면 이 단지의 총 소비

금액은 1만 가구×250만 원=250억 원이 됩니다.

다만, 이 금액을 전부 거주지 인근에서 사용하는 것은 아니며, 직장 근처 또는 아파트 단지에서 조금 떨어진 백화점이나 학원 등에서 소비할 수도 있기 때문에 실제 단지 내 상가에서 소비하는 금액은 250억 원의 20~30% 수준으로 보는 것이 적절합니다. 그렇다면 실제 소비액은 많이 잡아야 월 75억 정도입니다.

그런데 헬리오시티의 상가 단지에는 총 617개의 상가가 있습니다. 75억 원을 617개로 나누면 평균 1,215만 원이 산출됩니다. 보통 상가의 임대료는 매출액의 10% 수준이 적절한 것으로 알려져 있습니다만, 헬리오시티 상가의 평균 임대료는 8평 기준 600~700만 원이라고 합니다. 적정 임대료 수준을 아무리 좋게 잡아도 120~200만 원이면 충분할 텐데, 그 몇 배에 달하는 임대료가 책정되어 있는 것입니다. 이는 반대로 말하면 상가 수를 몇 배로 너무 과하게 지은 것입니다.[31)]

가구 수에 비해 상가가 비대해지면 공실의 증가로 이어져 결국 수익성도 낮아질 수 있으며, 반대로 상가 면적이 너무 빈약하다면 자체적 상권 형성이 미흡할 수 있습니다.

31) '3만 명 사는 송파 헬리오시티, 왜 자영업자 무덤이 됐나(최동수 기자, 2020. 5. 1., 머니투데이)' 기사에서 일부 내용을 인용, 편집하였습니다.

대체로 LH공사에서 공급하는 상가의 경우 공급 세대 수 대비 상가 면적이 많지 않은 편이라서 향후 유리한 경우가 많습니다.

그 밖에도 대형 상가가 단지 인근에 추가로 생긴다면, 단지 내 기존 상가의 경쟁력은 크게 하락하게 되므로 주의해야 합니다.

⑦ 토지 – 맹지? 경사도? 지질? 직선/곡선?

끝으로 토지 거래시의 포인트에 대해 간단하게 설명하겠습니다. 토지는 변수가 많고 위험요소가 많기 때문에 반드시 현장 답사와 전문가의 조언이 필요합니다. 특히 도로 접근이 불가능한 '맹지'인지 꼭 확인해야 합니다.

건축법상 매입 토지는 폭이 4m 이상인 도로에 2m 이상 접해 있어야 건축이 가능합니다. 이와 같은 도로 접근성이 없다면 그 토지의 가치는 확 떨어집니다.

그 밖에도 실제 토지 거래 시에 확인해야 할 요인들로는 실제 면적이 서류상의 면적과 일치하는지, 토지의 권리관계가 확실한지, 묘지(무덤)가 존재하여 자유로운 활용을 방해하지 않는지, 서류상에 나온 것보다 경사도나 굴곡이 심하지 않는지, 지질이 약하거나 반대로 지하가 큰 바위층으로 되어 있어 건물을 세우기 힘들지 않은지, 토지형태가 반듯한지 아니면 토지형태가 꼬불꼬불하고 옆 토지와의 권리관계가 불확실하고 지형이 변화하지는 않는지 등을 일일이 확인하는 것이 좋습니다.

예외적인 방법으로 맹지에 대한 역발상 투자도 고려해볼 수 있습니다. 꽉 막힌 맹지를 열린 도로에 붙인다면 수익률이 확 높아질 수 있습니다. 맹지를 살아있는 토지로 바꾸기 위해서는 최소한의 도로를 주변 토지 소유자로부터 매입하든지, 해당 지방자치단체와 협의하여 도로를 새로 개설하든지 하는 방법이 있습니다.

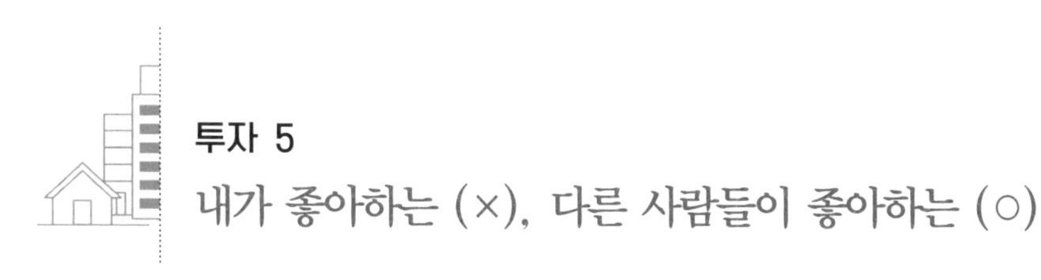

투자 5
내가 좋아하는 (×), 다른 사람들이 좋아하는 (○)

부동산 투자에서는 소위 '대세'라는 것을 따르는 것이 좋습니다. 특히 한국 시장에서는 더욱 그러합니다. 내가 좋아하는, 내가 좋아 보이는 부동산보다는 다른 사람들이 좋아하는, 다른 사람들이 좋다고 얘기하는 부동산을 취급하는 것이 바람직합니다.

아래에 중고차 매매와 스타벅스의 사례를 예로 들어보겠습니다.

중고차 시장에서는 동일 차종, 동일 옵션, 동일 주행거리, 동일 사고유무라 할지라도 단지 색상에 따라서 값이 천차만별입니다. 그 이유는 무엇일까요? 한국 사람들은 유독 흰색과 검은색 차량을 선호하기 때문입니다.

보통의 경우 차 1대를 사기 위해서는 패밀리카로서의 용도, 즉 어느 장소든지 무난하게 끌고 다닐 수 있어야 하는 점과 향후 중고차 매각시의 가격 프리미엄까지 여러 가지를 고민하게 되기 때문에 결국 튀는 색상의 차를 선뜻 구입하기 매우 어려워하는 것이 대부분입니다.

[정욱진 칼럼] 같은 중고차, 색상 따라 가격도 천차만별

정욱진 바이카 대표, 2016. 1. 18., 데일리카

연식이나 심지어 같은 월에 동시에 출고됐더라도 색상에 따라 중고차 가격에 차이가 발생할까? 정답은 YES다. 선호 차종이 있는 것처럼 자동차의 색상도 선호 색상과 비 선호 색상 때문에 가격 차이가 발생한다. 실제 중고차 시장에서는 같은 차종, 같은 주행거리, 같은 사고유무라 할지라도 색상에 따라 가격 차이가 천차만별이다.

소비자 판매가격이 아닌 딜러 매입가를 기준으로 했을 때, 경차의 경우에는 2015년 쉐보레 스파크 LT 흰색 차(1인 신조, 무사고 기준)는 중고차 시장에서 645만 원에 거래된다. 같은 기준이지만, 검은색상의 경우에는 700만 원에 판매된다. 약 55만 원 정도의 차이가 발생하는데, 이는 색상 때문이다.

쉐보레 스파크 LT의 경우 선호 색상은 검은색이며, 흰색보다 검은색 차량의 가격이 더 높다. 또, 경차는 소형, 중형, 대형 차량과는 다르게 검은색이 흰색보다 가격이 높게 세팅되는 경향이 있다.

소형 SUV인 2014년식 르노삼성 QM3 LE, 흰색으로 1인 무사고 기준, 2만 8,000km를 주행한 중고차는 1,650만 원에 거래된다. 하지만, 같은 조건에서 색상이 검은색이면 1,600만 원에 팔린다. 50만 원의 차이가 발생한다.

스타벅스와 같은 '브랜드'를 선호하는 이유는 또 무엇일까요? 사람들은 불확실성이 높은 상황에서 급히 결정을 선택해야 할 경우에는 보통 가장 안전하고 널리 알려진 것을 선택하게 되기 마련입니다.

한국 스타벅스의 재무제표를 살펴보면 전체 매출액에서 원재료 비용은 약 13% 밖에 되지 않으며, 인건비가 25%, 임차료 20%, 감가상각비 7% 등이 주요 비용으로 나타나 있습니다.

이를 5,000원짜리 스타벅스 커피의 원가에 단순 대입해 보면 커피 재료비가 650원, 인건비가 1,250원, 임차료와 감가상각비가 1,350원 등으로 이뤄져 있다는 것을 의미합니다. 나머지 35%에 달하는 1,750원이 이익이라는 것입니다. 실로 엄청난 이익률입니다.

> **[출처] 어떻게 능력을 보여 줄 것인가?**
> 갤리온 저 / 안인희 역, 2018. 9., 갤리온
>
> 당신이 막 낯선 나라, 낯선 도시에 도착했다고 하자. 휴식을 위해 맛있는 커피집을 찾아갈 수 있는 확률은? SNS에서 유명한 가게를 미리 찾아두었다고 하더라도 쉽지 않은 일이다. '사진'과 '좋아요'로 내 취향을 가늠하고 맞추는 일은 생각보다 쉽지 않다.
>
> 그때, 내가 새로운 동네의 믿을만한 카페를 확실하게 알지 못할 때, 스타벅스는 좋은 대안이 된다. 스타벅스 커피가 끝내주게 맛있지는 않지만, 꽤 맛 좋은 커피를 마실 수 있을 거라 생각하기 때문이다. 어떤 도시의 어떤 매장을 가도 내가 알고 있는 맛이 나온다는 것. 내가 알고 있는 매장의 분위기에, 나를 거슬리게 하지 않는 음악이 나온다는 것은 꽤 안전한 선택이다.
> 가장 덜 두려운 것을 고를 수 있는.

물론 스타벅스에서는 모바일 사전주문이나 철저한 품질관리 등 여러 가지 혁신이나 서비스 향상을 위해 노력하고 있고, 그러한 노력이

이익률로 보상받는 것으로 알려져 있기는 하지만 그래도 이렇게 높은 이익률을 설명할 수 있는 요인은 역시 잘 알려진 브랜드라는 이유로 인해 고객들이 일종의 '불안감 해소'나 '안정감' 또는 '허영심'을 충족시킬 수 있기 때문일 것입니다.

위에서 본 중고차 색상과 스타벅스의 선호 사례는 한국의 부동산 시장에서도 그대로 적용됩니다. 특히 최근 강남의 아파트 시장 가격은 대부분 부동산 중개업자들이 아니라 강남 주부들의 강력한 네트워킹에서 책정됩니다.

SNS나 유튜브, 카카오톡 단체 톡방 등이 부동산 가격 담합의 장으로 활용되고 있는 추세는 점점 더 심화되고 있습니다. 사람들의 입소문을 통해 '최고가' 및 '최저가' 거래의 내용이 전달되고, 새로운 시세 변동이 알려지면 그 내용에 따라 인근 아파트의 장단점을 비교해서 적정 가격이 새로 매겨지고 있는 것입니다.

그야말로 '내가 좋아하는' 부동산보다는 '다른 사람들이 좋아하는' 부동산에 따라야 하는 '대세 추종의 원칙'이 중요시되고 있는 것입니다. 주변 시세보다 약간 싸 보이는 부동산은 그만한 이유가 있기 때문이며, 그 반대로 약간 비싼 부동산 역시 반드시 그만한 프리미엄이 있는 것이 보통입니다. 탁월한 혜안이나 치밀한 사전 조사 없이 막연한 기대감이나 즉흥적인 영감만으로 '이 부동산은 금방 오를 거야', 또는 '이 부동산은 조만간 폭락할거야'라고 생각하고 선뜻 거래에 나서는 일은 없도록 주의하는 것이 필요합니다.

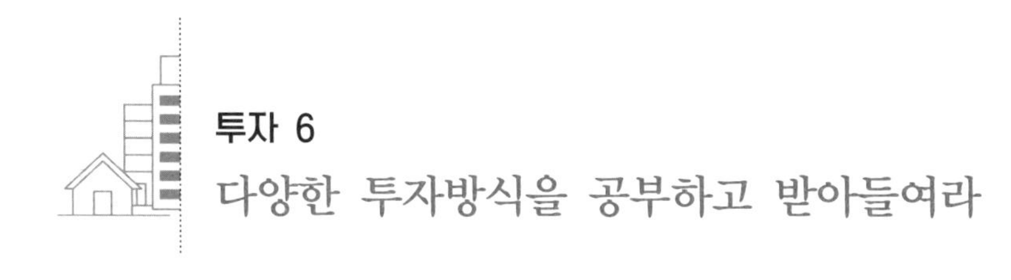

투자 6
다양한 투자방식을 공부하고 받아들여라

부동산은 마치 일종의 생물처럼 각자 전부 다양한 개성을 갖고 있습니다. 따라서 부동산 투자방식 역시 각각의 부동산 특성에 따라 다양한 방식이 존재합니다.

또한 투자자의 투자 콘셉트, 선호자산, 투자기간, 전체 예산, 대출 가능금액 등에 따라서도 다양한 투자 접근 방식이 존재하므로 이를 공부하고 적극적으로 수용하는 것이 좋습니다.

무료로 쉽게 접근할 수 있는 사이트들만 알고 있어도 1차적인 투자 연구는 쉽게 실행할 수 있습니다.

상가 분양 리스트(상가114)

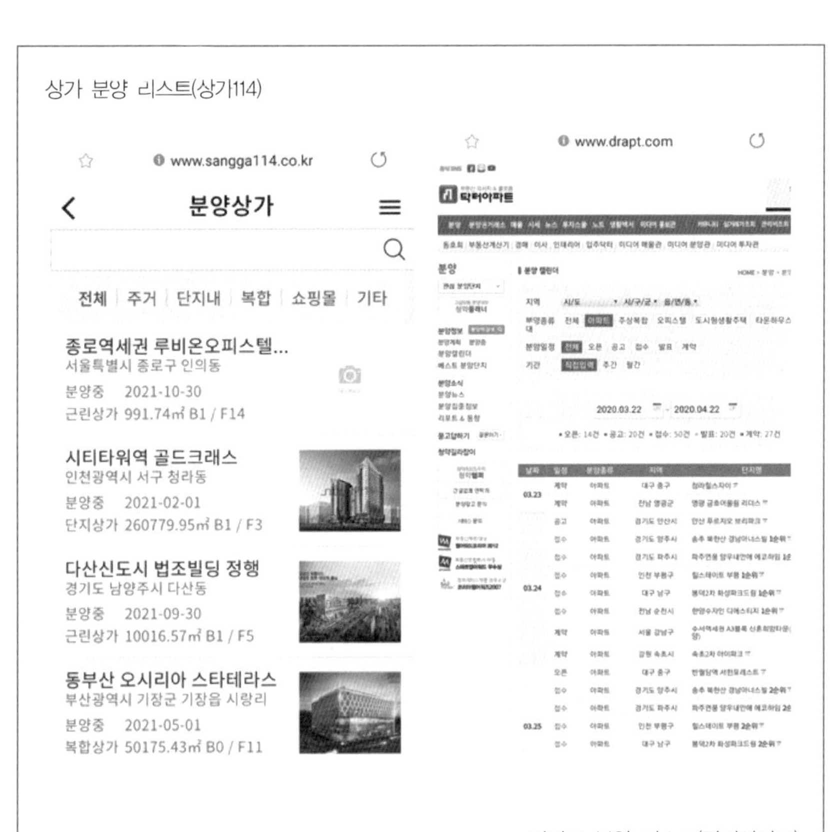

아파트 분양 리스트(닥터아파트)
http://www.drapt.com/e_sale/index.htm?page_name=cal&menu_key=0

아파트 실거래가 검색(호갱노노)

아파트 맞춤형 검색(파인드아파트)
http://www.findapt.co.kr/

전세비율 높은 아파트 검색(조인스랜드)

매물/시세 검색(KB부동산)
https://onland.kbstar.com/quics?page=C059652

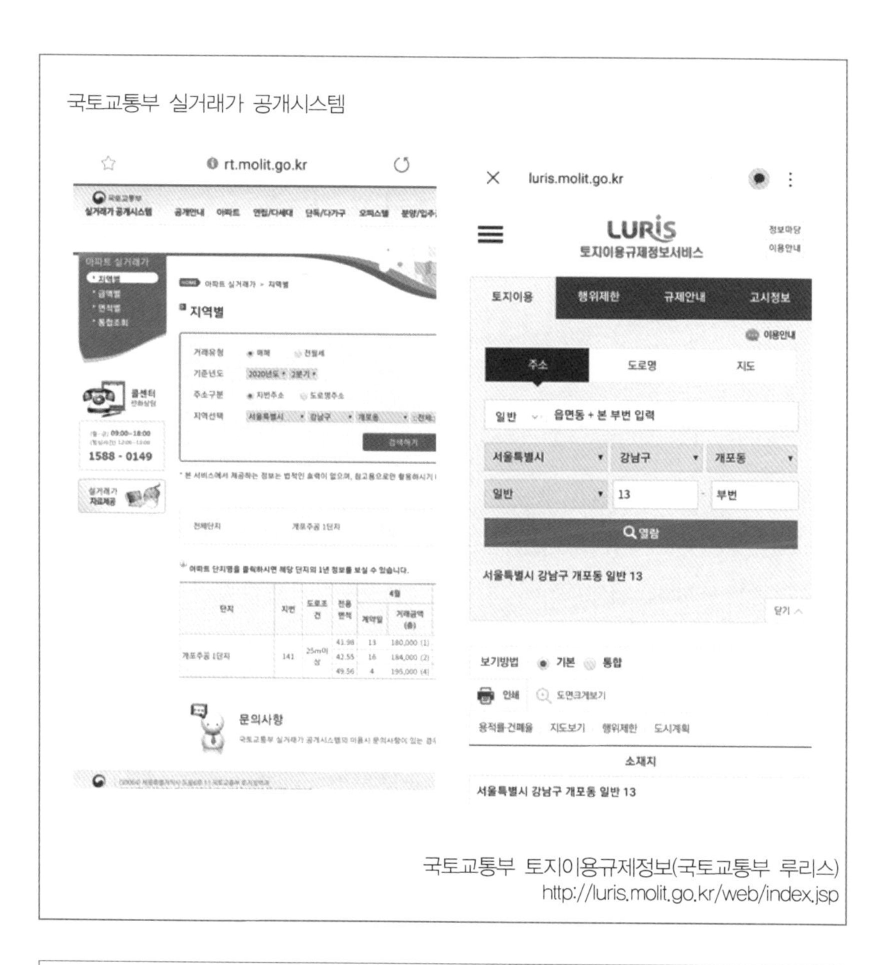

국토교통부 실거래가 공개시스템

국토교통부 토지이용규제정보(국토교통부 루리스)
http://luris.molit.go.kr/web/index.jsp

[기타 참고 사이트]

- 국토교통부 부동산 거래신고(국토교통부 거래관리시스템): https://rtms.molit.go.kr/
- 국토교통부 부동산중개업사무소 등록여부 조회(국토교통부 국가공간정보포털): http://www.nsdi.go.kr/lxportal/?menuno=4085
- 부동산 등기부등본 열람(법원 인터넷등기소): http://www.iros.go.kr/PMainJ.jsp
- 법원 경매정보: https://www.courtauction.go.kr/
- 자산관리공사 공매정보(자산관리공사 온비드): http://www.onbid.co.kr/

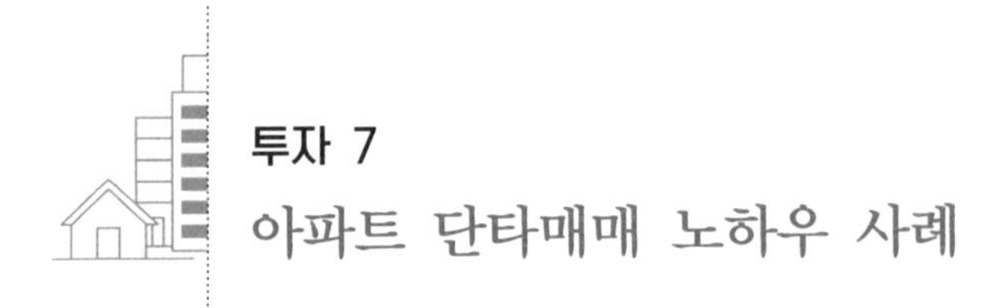

투자 7

아파트 단타매매 노하우 사례

이번에는 구체적인 아파트 단타매매에 대한 노하우 사례도 몇 가지 나열해 보겠습니다. 아래의 내용은 과거의 경험에 비추어 본 필자 개인의 의견일 뿐이며, 실제 상황에서는 다양한 변수와 추가 고려사항들이 존재할 것이므로 독자 여러분들은 각자 개인적인 상황에 잘 맞추어 신중히 고려하면 좋겠습니다.

① 11월에 사고 2월에 팔아라

일반적으로 한국의 아파트 시세는 설(구정)을 전후로 하여 3월의 신학기를 대비해서 1월 말~2월 초에 신규 매수세가 활발하게 일어납니다. 그리고 봄 이사철이 마무리되면 여름 휴가철에는 비수기로 접어들게 됩니다. 9~10월의 가을철에는 다시 매매가 잠시 이루어지다가 11월부터는 본격적으로 매수세 동결이 이루어지는 비수기로 접어들고, 연말을 마무리하는 사이클이 매년 되풀이되는 경향이 강합니다. 그리고 연말은 기업체나 각 주요 기관들의 인사이동이 마무리되는 시기이기도 합니다.

이에 따라 퇴직, 이직, 이사 등으로 인한 급매물이 11~12월경에 일어납니다. 따라서 대부분 매년 이렇게 되풀이되는 한국 부동산 시장

고유의 추세를 잘 올라타기 위해서 11월경에 급매물을 잘 골라서 사고, 2월경에 매수세가 몰릴 때 파는 타이밍 전략을 적용한다면 좋을 것입니다.

② 물릴 것 같으면 장기보유가 가능하도록 매수하라

타이밍 전략을 잘 사용하여 매수했다고 하더라도 의외로 단기적으로 시세가 하락하여 불안감이 커질 수 있습니다. 일단, 내 입장에서 매수가 가능했다고 하는 얘기는 반대 입장에서 생각해 보면 더 오르지 않을 것으로 생각하여 매도에 나선 상대방이 있었기 때문에 원론적으로 가능한 것입니다. 내가 매수하자마자 가격이 쭉쭉 급등하는 경우는 타이밍과 더불어 매도자의 착각과 같은 천운이 따른 것이겠지요.

따라서 매수 후 어느 정도의 등락은 충분히 있을 수 있다는 마음의 대비를 하고, 하락 시에도 버틸 수 있는 현금 흐름과 유동성을 준비하고, 전세 입주자라는 대안이 마땅치 않을 경우에는 본인 또는 주변의 친지가 직접 들어가서 오랜 기간 살 수도 있다는 최악의 경우(Worst Case)까지 2단계, 3단계의 위험 대응 복안(Contingency Plan)을 염두에 두는 것이 바람직할 것입니다. 그리고 주변 지역의 수요-공급을 잘 살펴보면서 도저히 수요 〉 공급의 상황이 오지 않을 것 같으면 감당할 수 있는 손실 한도를 미리 정해놓는 방식으로 매각 후 철수방안(Exit Plan)도 준비해야 할 것입니다.

③ 보험, 저축을 다 끊고 현금흐름과 Leverage를 중요시하라

이 도발적인 명제에는 숨은 전제조건이 하나 있습니다. 그것은 자신의 능력 한도 내에서 최대치에 달하는 비싼 아파트를 산 이후에 실행하라는 뜻입니다. 보통 보험이나 저축을 드는 이유는 무엇일까요? 그것은 바로 '미래의 경제적 불확실성에 대비'하기 위함일 것입니다. 그런데, 아파트를 살 때 내가 좋아 보이는 아파트는 누구한테나 좋아 보이고 따라서 매수가 가능한 비교 대상들 중에서 조금씩 비싸기 마련입니다.

필자는 이런 경우에 차라리 조금 더 비싼 아파트를 사라고 권하고 싶습니다. 조금 더 비싼 아파트를 사면 일시적인 하락세가 나타나도 심리적으로 안정을 찾을 수 있습니다. 또한 경제적 곤궁에 처해 어쩔 수 없이 매각해야 하는 경우에도 상대적으로 좀 더 쉽고 빠르게, 비싸게 팔릴 가능성이 높습니다. **즉, 경제적 불확실성에 대비한다는 측면에서 보험이나 저축과 대립되는 것이 아니라, '조금 더 비싼 아파트'라는 형식의 보험이나 저축을 드는 것입니다.**

현금흐름과 레버리지(외부 대출을 일으키는 매수자금 확보) 역시 마찬가지입니다. 자신의 능력 한도 내에서 최대한의 현금흐름을 일으키고, 최대한의 대출을 일으키는 것이 바람직할 것입니다. 물론 본인의 소득 수준을 초과하는 이자 비용이 발생되는 대출은 자칫하면 유동성 위기를 초래할 수 있기 때문에 자제하고 조심하는 것이 필요합니다.

④ 양도세와 거래비용을 고민하거나 아끼지 마라(차라리 등기비용을 아껴라)

사람들이 아파트를 사거나 팔 때 주로 고민하는 내용이자, 흔히 제일 아까워하는 것이 바로 양도세 및 중개수수료 등 제반 거래비용입니다. 하지만 이런 거래비용이 두려워서 과감하게 매매에 나서지 못한다는 것은 오히려 너무 이것저것 고민한 나머지 좋은 기회를 놓쳐버리는 경우가 많다고 할 수 있습니다. 좋은 기회가 있다면 거래 비용에 상관없이 과감히 매수 · 매도하여 보유 자산의 회전율과 상승 가능성을 높이는 투자 방식을 적극 추천하고 싶습니다.

심지어 여기서 한층 더 나아가, 필자는 중개수수료를 인센티브로 추가 지급하는 방안도 추천하고 싶습니다. 좋은 매물을 남들보다 1천만 원 싸게 제일 먼저 살 수 있다면, 또는 여러 번 시도해도 잘 안 팔리는 물건을 얼른 팔아넘기고 다른 좋은 기회를 찾기 위해서는 중개수수료 1백만 원 정도의 인센티브를 추가로 지급하는 것 정도는 충분히 감수할 수 있지 않을까요?

자문업무를 하는 사람의 전문성을 최대한 끌어내어 나에게 유리하게 일하도록 하기 위해서는 적정한 대가를 치르면서, 그 대가의 몇 배 이상의 효과를 거둔다면 그 편이 더 이익이라고 생각하는 적극적인 마인드가 훨씬 바람직할 것입니다.

그리고 중개수수료를 절감하려고 하기 보다는 필수 비용이라고 생각하여 받아들이고, 매매시의 경우 어쩔 수 없이 관련 규정에 의해

의무적으로 지출되어야 하는 거래 비용 및 관련 세금 역시 괜한 스트레스 받지 말고 수용하는 태도를 갖는 것이 낫다고 생각합니다. 어쩔 수 없는 비용에 연연하기보다는 자신이 처리할 수 있는데도 불구하고 잘 모르니까, 또는 번거로워서 타인에게 맡기는 제반 비용(예를 들면, 등기비용)을 절감하는 것이 비용 측면에서나, 부동산 거래 관련 서류를 본인이 직접 한번 더 꼼꼼히 점검할 수 있다는 측면에서 훨씬 더 나을 것입니다.

Special Tip

급매물을 누구보다 먼저 잡을 수 있는 비결은?

☞ ISC: Information 정보, Speed 속도, Cash 현찰

미리 준비된 사람만이 금방 사라지는 희귀한 기회를 잡을 수 있다!

최근 부동산 셀프등기 관련 자료나 인터넷 사이트들이 많이 있으므로 자세한 설명은 생략하겠으나, 간단히 셀프등기의 개요에 대해 안내하자면 대략 과세표준 5억 원의 부동산 거래 기준으로 외부에 맡기는 것보다 약 50만 원 가량을 절감할 수 있습니다. 그리고 사전에 체크리스트를 준비하여 제반 서류를 잘 챙겨 놓은 다음에 구청, 은행, 등기소 등을 차례로 방문할 계획을 수립하는 것이 좋습니다.

⑤ 로또(생애최초 & 신혼부부 특별공급)는 연습으로 생각하고, 보다 빠르고 현실적인 실전 투자(생애최초 주택자금대출)에 나서라

생애최초 특별공급이란, 정책적으로 배려가 필요한 사회계층 중에

서 무주택자의 주택 마련을 지원하고자 일반공급 또는 청약으로 인한 경쟁 없이 주택을 분양받을 수 있도록 하는 제도입니다. 그러나 이 제도는 무주택기간, 부양가족수, 청약통장가입기간 등의 가점제 부여 방식을 적용하고 있기 때문에 비교적 젊은 층들은 사실상 가점제 달성이 어려웠던 것이 현실이었습니다.

이에 대한 대책으로 나온 것이 신혼부부 특별공급인데, 이는 생애최초 특별공급 중에서도 무주택, 저소득, 신혼부부라는 3가지 요건을 갖춘 가구에게 별도로 당첨 기회를 할당하여 더욱 특별한 공급 기회를 열어준 것을 말합니다.

- 무주택: 청약통장에 가입되어 있고, 주택 보유 이력이 없어야 함.
- 저소득: 세대 기준 월평균 소득이 전년도 도시근로자 가구당 월평균 소득의 100% 이하(민영주택은 120% 이하)여야 하며, 부부 두 사람이 모두 소득이 있다면 120% 이하(민영주택은 130% 이하)까지 가능
- 신혼부부: 혼인관계증명서상 일자를 기준으로 입주자 모집공고일 현재 혼인 기간이 7년 미만일 것
- 가점제: 미성년 자녀가 있다면 1순위이며, 그 외 가구 소득, 미성년 자녀 수, 혼인 기간, 해당 지역 거주 기간 등에 따라 부여됨.

하지만 이러한 생애최초 특별공급이나 신혼부부 특별공급은 공급에 비해 수요가 워낙 많은 관계로 경쟁률이 치열하여 사실상 대부분

그림의 떡인 경우가 많습니다. 2020년 초에 과천에서 분양된 사례에서는 경쟁률이 무려 60 : 1에 달했다고 합니다.

따라서 본 필자는 여건이 된다면 굳이 이런 특별공급 찬스를 외면할 필요는 없겠지만, 몇 번 정도 해보고 안되면 다른 방법을 찾아야지 몇십 번씩이나 청약하며 끝내 당첨될 때까지 여기에 매달릴 필요는 없다고 생각합니다. 본인의 거주지역 내에서 꼭 마음에 드는 적당한 단지의 특별공급이 이루어지는 경우는 그리 흔하지 않을 것이기 때문입니다.

차라리 다소 아쉽더라도 보다 현실적이고 빠른 기회, 즉 생애최초 주택자금대출을 얼른 신청하여 부동산 투자의 기반으로 삼는 방안을 권유하고 싶습니다. 생애최초 주택자금대출은 2020년에는 '내집마련디딤돌대출'이라는 이름으로 주택도시기금(http://nhuf.moilt.go.kr)[32]에서 취급하고 있습니다.

32) 국민주택채권이나 청약저축, 옛날 주택복권 등으로 조성된 기금으로 국토교통부 및 산하의 주택도시보증공사에서 관리함.

참고 주택도시기금 홈페이지 소개 내용

- 정부지원 3대 서민 구입자금을 하나로 통합한 저금리의 구입자금대출 (*단, 상속, 증여, 재산분할로 취득한 주택은 대출 불가함)
- 대출대상: 부부합산 연소득 6천만 원 이하(생애최초 주택구입자, 2자녀이상 가구 또는 신혼가구는 연소득 7천만 원 이하), 순자산가액 3.91억 원 이하 무주택 세대주
- 대출금리: 연 2.00~3.15%
- 대출한도: 최대 2.6억 원 이내(LTV 70%, DTI 60% 이내)
- 대출기간: 10년, 15년, 20년, 30년(거치 1년 또는 비거치)

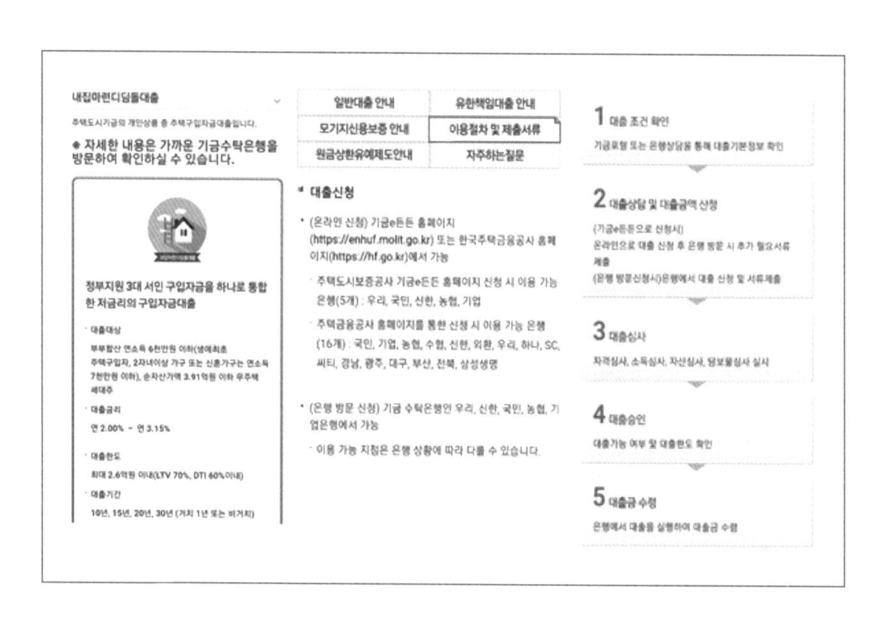

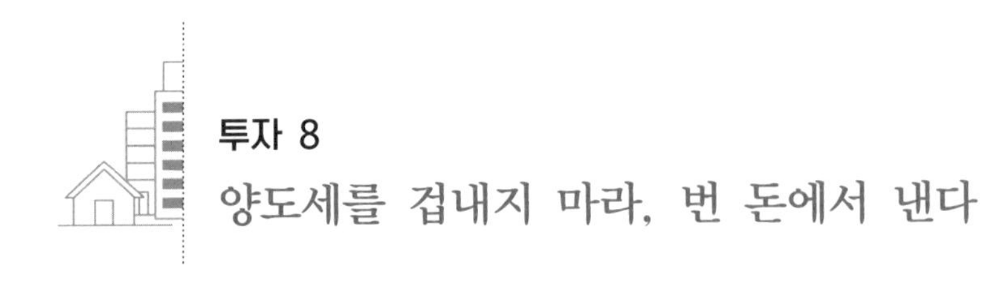

투자 8
양도세를 겁내지 마라, 번 돈에서 낸다

부동산에 대해 아직 본격적으로 연구하거나 깊게 생각해보지 않은 이들과 얘기하다 보면 종종 취득세, 보유세, 특히 양도세에 대해서 막연한 부담감과 거부감을 가진 이들이 생각보다 많이 있는 것을 알게 됩니다.

이러한 부담감과 거부감에 대해 '생각보다 크지 않다'는 내용을 아래에서 알려드리고 '부동산 세금 부과'의 공포에서 벗어나 적극적인 투자 마인드를 가지도록 도와드리고자 합니다. 다만, 향후 정책 방향은 '부동산 관련 세금 증가' 기조임은 분명 유의해야 할 것입니다.

① 1가구 1주택으로 2년 실거주시는 양도세 면제

1가구 또는 1세대란, 거주자와 그 배우자 및 자녀 등 동일한 주소 또는 거소에서 생계를 같이하는 가족으로서의 구성 단위를 말합니다.

1가구를 판단할 때에는 부부가 각각 별도로 주민등록을 했더라도 동일한 세대로 간주하는데, 이러한 1가구가 2년 이상 보유 및 실제로 거주(2017년 8월 3일부터 '보유'에서 조정대상지역에 한해 '보유 and 실거주'로 강화됨)한 1주택을 양도(즉, 매각)할 때 비과세(즉, 양도세를 면제)

해주는 것이 현행법상 가장 큰 원칙 중 하나입니다.

그런데 1세대 1주택 비과세 요건을 갖추었더라도, 양도가액이 9억 원을 초과하는 고가 주택은 9억 원을 초과하는 양도차익에 대해서는 과세가 되도록 규제가 강화되었으니 이에 유의하여야 합니다.

② 3년 이상 보유시 장기보유특별공제로 세금 감면[33]

장기보유특별공제란, 말 그대로 부동산을 장기간 보유하면 양도소득세에서 특별히 공제해주는 것을 말합니다.

장기보유특별공제는 3년 이상 보유한 경우 보유기간에 따라 양도차익의 일정 비율만큼을 공제해줍니다(3년 이상 4년 미만이면 6%이며, 해마다 2%씩 올라가고, 최대 공제율은 15년 이상 보유했을 때 받을 수 있는 30%임). 단, 미등기자산이나 조정대상지역의 다주택자는 장기보유특별공제를 못 받습니다. 이를테면 서울에 아파트 2채를 보유한 다주택자의 경우, 먼저 파는 한 채는 장기보유특별공제를 아예 받을 수 없습니다.

33) 이은하, 「이은하의 부동산 절세 오늘부터 1일」, 스마트북스(2019)

규제지역 지정 현황

[2020. 2. 21. 현재 기준]

	투기지역	투기과열지구	조정대상지역
서울	강남, 서초, 송파, 강동, 용산, 성동, 노원, 마포, 양천, 영등포, 강서('17. 8. 3.), 종로, 중구, 동대문, 동작('18. 8. 28.)	전 지역 ('17. 8. 3.)	전 지역 ('16. 11. 3.)
경기		과천('17. 8. 3.) 성남분당('17. 9. 6.) 광명, 하남('18. 8. 28.)	과천, 성남, 하남, 고양(7개 지구*) 남양주(별내 · 다산동) 동탄2('16. 11. 3.) 광명('17. 6. 19.), 구리, 안양동안, 광교지구('18. 8. 28.) 수원팔달, 용인수지 · 기흥('18. 12. 31.) 수원영통 · 권선 · 장안, 안양만안, 의왕('20. 2. 21.)**
대구		대구수성('17. 9. 6.)	
세종	세종('17. 8. 3.)	세종('17. 8. 3.)	세종('16. 11. 3.)

* (고양시 7개 지구) 삼송택지개발지구, 원흥 · 지축 · 향동 공공주택지구 덕은 · 킨텍스 1단계 도시개발지구, 고양관광문화단지(한류월드)

** ▒ 금번 신규 지정 지역

그리고 앞서 설명한 9억 원 초과 고가 주택(1주택시에만 해당)의 경우에는 장기보유특별공제를 연 8%씩 해줍니다. 단, 2020년 1월 1일 이후 양도분부터는 거주기간도 2년 이상을 채워야 연 8%를 받을 수 있습니다. 만약 2년 거주요건을 못 채우면 연 2%(15년 이상 보유 시 최대 30%)만 받게 됩니다.

고가 주택(only 1주택) 보유기간이 3년 이상 4년 미만일 경우 공제율이 24%이고, 최대 공제율은 10년 이상일 때 80%입니다. 실제로 고가 주택도 장기보유특별공제를 80%까지 받으면 양도소득세가 크게 줄어듭니다.

보유기간		3~4년	4~5년	5~6년	6~7년	7~8년	8~9년	9~10년	10년 이상
다주택자	합계	6%	8%	10%	12%	14%	16%	18%	20~30%
9억 원 초과 고가 1주택	보유	12%	16%	20%	24%	28%	32%	36%	40%
	거주	12%	16%	20%	24%	28%	32%	36%	40%
	합계	24%	32%	40%	48%	56%	64%	72%	80%

위 표에서 보듯, 9억 원이 넘는 고가 1주택자라도 장기보유특별공제를 최대치인 80%까지 받으려면 10년 보유 & 10년 거주의 요건을 채워야 80%가 가능하게 되었습니다.

③ 세대분리와 부담부증여[34)]

원칙적으로 자녀는 배우자가 있어야 별도 가구 구성이 가능합니다. 그러나 자녀가 결혼하지 않았어도 30세가 넘으면 별도 가구로 분리할 수 있습니다. 또한 미혼인 20대는 일정한 금액의 소득이 있으면 별도의 가구 구성이 가능합니다.

---

34) 정원준 세무전문가(한화생명 마케팅 역량팀), 「8가지만 알면 양도소득세 절세할 수 있다! 2020 주택투자자를 위한 꿀팁」, 한화생명 라이프앤톡 블로그, 2020. 1. 17.

따라서 주택을 이미 소유한 부모와 함께 거주하는 미혼의 자녀가 본인 명의의 주택을 살 때에는 세대를 분리하는 것이 무조건 유리합니다. 다만, 이때 절대로 형식적인 세대분리를 하면 안됩니다. 자녀와 같이 살고 있지만 자녀가 다른 주택으로 전입신고가 되었다고 해서 서로 다른 세대라고 생각하는 경우가 종종 있는데, 이것은 과세당국에서 실질적인 세대분리로 보지 않습니다.

공과금 청구서나 영수증 등을 부모 집주소로 받지 않고 본인의 주소로 받은 서류상의 기록들이 있어야 위장전입이 아닌 것으로 해명할 수 있습니다.

또한 최근에는 부담부증여도 많이 늘어나고 있는 추세입니다. '부담부증여'란 증여할 때 전세보증금이나 주택담보대출처럼 부채도 함께 이전하는 방식입니다.

이때는 전체 집값에서 부채를 제외한 금액에 대해서만 증여세를 내면 됩니다. 따라서 전세가율, 즉 매매가 대비 전세가 비율이 높을수록 절세 효과가 큰 것입니다. 예를 들어, 2주택자가 시세 10억 원, 전세보증금 7억 원인 아파트를 자녀에게 부담부증여할 경우 전세금을 제외한 3억 원에 대한 증여세만 내면 됩니다. 다만, 부모에게 넘겨받은 대출이나 보증금 상환 의무는 자녀에게 있다는 점에 유의해야 합니다.

그리고 3억 원이라는 돈을 자신이 스스로의 능력으로 벌어서 갖고 있던 돈이라는 증빙도 과세 당국에 제시해야 합니다. 부모도 증여세 부담은 줄었지만 채무에 대한 양도세를 내야 해 구체적으로 세금이 얼마나 절약되는지 전문가와의 상담을 통해 잘 따져봐야 합니다.

④ 부부 공동명의 절세

부부 공동명의의 장점은 단독명의로 할 때 보다 양도세와 종합부동산세를 파격적으로 절감할 수 있다는 점입니다.

먼저 양도세에 대해서 설명해 보자면, 양도차익이 2억 원이라고 가정하고, 단독명의와 부부 공동명의 시 양도소득세 차이가 얼마나 나는지 확인해 보겠습니다(지방소득세, 즉 주민세 10%는 없다고 가정함).

지분율 5:5, 양도소득기본공제, 장기보유특별공제 등 없다고 가정하에 예를 들어보면, 단독명의인 경우(2억 원×38%)-1,940만 원 =5,660만 원이라는 금액이 나옵니다.

공동명의인 경우에는 과세표준이 지분대로 나눠지기에 각각 1억 원에 대한 세금을 내면 됩니다. 공동명의인 경우(1억 원×35%)-1,490만 원=2,010만 원이라는 금액을 나오는데 부부 둘이 합쳐봐야 4,020만 원으로 단독명의일 때보다 1,640만 원을 절세할 수 있습니다.[35]

---

35) 부부 공동명의 취득세, 양도세 등 장점과 단점, 2020. 2. 23., 최소장의 부동산 이야기

종합부동산세, 소위 종부세 역시 인별 합산을 기준으로 하기 때문에 단독명의보다는 부부 공동명의가 절세에 큰 도움이 됩니다. 기준시가 10억 원인 주택을 단독명의로 보유하고 있다면 종부세 과세대상인 6억 원을 초과하기 때문에 종부세 과세 대상이 됩니다. 하지만 공동명의인 경우 기준시가가 50%인 5억 원으로 분할되기 때문에 종부세 과세 대상에서 제외됩니다.

종합부동산세를 예를 들어 설명해 보자면, 2020년 현재 올해 공시가격이 13억 원인 아파트 한 채와 각각 14억 원, 15억 원짜리 아파트까지 총 세 채를 단독명의로 소유한 다주택자의 종부세액은 3,941만 원입니다. 여기에 재산세와 지방교육세, 농어촌특별세를 모두 합친 보유세는 5,712만 원이 됩니다. 하지만 같은 주택 세 채를 부부가 모두 5:5 비율로 소유하고 있다면 종부세는 2,464만 원이 됩니다. 단독명의일 때보다 1,500만 원가량 적습니다.

재산세 등을 모두 합친 보유세도 3,940만 원으로 줄어듭니다. 단독명의일 때는 9억 원이 기본으로 공제되지만, 공동명의일 때는 부부가 각자 6억 원씩 공제받기 때문입니다.[36)]

36) 전형진 기자, 「다주택자 '보유세 폭탄' 향후 3년 계속 터진다」, 한국경제신문, 2019. 11. 22.

부동산 취득세 및 인지세 정리[37]

• 2020년 현재 3주택 이하 부동산 취득세율

<table>
<tr><th colspan="4">구분</th><th rowspan="2">취득세</th><th rowspan="2">농특세</th><th rowspan="2">교육세</th><th rowspan="2">합계</th><th rowspan="2">비고</th></tr>
<tr><th colspan="3">부동산 종류</th><th>분류</th></tr>
<tr><td rowspan="16">주택</td><td colspan="2" rowspan="2">6억 원 이하</td><td>85㎡ 이하</td><td rowspan="2">1.00%</td><td></td><td>0.10%</td><td>1.10%</td><td></td></tr>
<tr><td>85㎡ 초과</td><td>0.20%</td><td>0.10%</td><td>1.30%</td><td></td></tr>
<tr><td rowspan="12">6억 원 초과
~
9억 원 이하</td><td>6.5억 원</td><td rowspan="6">85㎡ 이하</td><td>1.33%</td><td rowspan="6"></td><td>0.20%</td><td>1.53%</td><td rowspan="12">금액비례
(2020년)</td></tr>
<tr><td>7.0억 원</td><td>1.67%</td><td>0.20%</td><td>1.87%</td></tr>
<tr><td>7.5억 원</td><td>2.00%</td><td>0.20%</td><td>2.20%</td></tr>
<tr><td>8.0억 원</td><td>2.33%</td><td>0.20%</td><td>2.53%</td></tr>
<tr><td>8.5억 원</td><td>2.67%</td><td>0.20%</td><td>2.87%</td></tr>
<tr><td>9.0억 원</td><td>3.00%</td><td>0.20%</td><td>3.20%</td></tr>
<tr><td>6.5억 원</td><td rowspan="6">85㎡ 초과</td><td>1.33%</td><td rowspan="6">0.20%</td><td>0.20%</td><td>1.73%</td></tr>
<tr><td>7.0억 원</td><td>1.67%</td><td>0.20%</td><td>2.07%</td></tr>
<tr><td>7.5억 원</td><td>2.00%</td><td>0.20%</td><td>2.40%</td></tr>
<tr><td>8.0억 원</td><td>2.33%</td><td>0.20%</td><td>2.73%</td></tr>
<tr><td>8.5억 원</td><td>2.67%</td><td>0.20%</td><td>3.07%</td></tr>
<tr><td>9.0억 원</td><td>3.00%</td><td>0.20%</td><td>3.40%</td></tr>
<tr><td colspan="2" rowspan="2">9억 원 초과</td><td>85㎡ 이하</td><td rowspan="2">3.0%</td><td></td><td>0.30%</td><td>3.300%</td><td></td></tr>
<tr><td>85㎡ 초과</td><td>0.20%</td><td>0.30%</td><td>3.500%</td><td></td></tr>
<tr><td colspan="3">주택 외(상가, 건물 등)</td><td>–</td><td>4.00%</td><td>0.20%</td><td>0.40%</td><td>4.60%</td><td></td></tr>
<tr><td colspan="3">신축(원시취득)</td><td>–</td><td>2.80%</td><td>0.20%</td><td>0.16%</td><td>3.16%</td><td></td></tr>
<tr><td colspan="3" rowspan="2">상속에 의한 취득</td><td>농지</td><td>2.30%</td><td>0.20%</td><td>0.06%</td><td>2.56%</td><td></td></tr>
<tr><td>농지 외</td><td>2.80%</td><td>0.20%</td><td>0.16%</td><td>3.16%</td><td></td></tr>
<tr><td colspan="3">증여에 의한 취득</td><td>–</td><td>3.50%</td><td>0.20%</td><td>0.30%</td><td>4.00%</td><td></td></tr>
</table>

37) 부동산 취득세(2020년 개정안 포함), 이주현 공인중개사, 2019. 9. 11., 충무로 나인공인중개사사무소 홈페이지 "바로보는 부동산" 블로그 중

• 2020년 현재 부동산 인지세(수입인지 구입비용)

기재금액	세액	기재금액	세액
1천만 원 초과~3천만 원 이하	2만 원	1억 원 초과~10억 원 이하	15만 원
3천만 원 초과~5천만 원 이하	4만 원	10억 원 초과	35만 원
5천만 원 초과~1억 원 이하	7만 원		

* 단, 매매가가 1억 원 이하인 주택의 경우는 인지세 면제

공시가격과 공정시장가액비율 인상에 따른 보유세 변화[38]

(단위: 원)

구분	2018년	2019년	2020년	2021년	2022년
합산 공시가격	20억	21억	22억	23억 2,000만	24억 4,000만
공정시장가액비율	80%	85%	90%	95%	100%
단독명의 2주택					
종합부동산세	554만	1,323만	1,644만	1,994만	2,375만
총보유세	1,146만	1,953만	2,314만	2,704만	3,129만
부부 각각 1주택					
종합부동산세(각자)	100만	195만	250만	312만	387만
총 보유세(부부합산)	792만	1,020만	1,170만	1,334만	1,528만

자료: 원종훈 국민은행 세무팀장

* 서울2주택, 공시가격은 매년 5% 인상으로 가정
* 2022년까지 종부세와 보유세는 점진적으로 늘어날 예정입니다. 과세표준을 결정하는 공정시장가액비율이 매년 5% 포인트씩 높아집니다. 집값이 오르지 않고 그대로 유지되더라도 세금은 증가한다는 의미입니다. 여기에 추가하여 집값 자체(공시가격)도 계속 현실화하겠다고(올리겠다고) 정부에서 안내하고 있습니다.

38) 전형진 기자, 「다주택자 '보유세 폭탄' 향후 3년 계속 터진다」, 한국경제신문, 2019. 11. 22.

끝으로 부부 공동명의 취득 시에 따르는 단점도 몇 가지 존재합니다. 먼저 주택담보대출을 받거나 담보용으로 제공을 하려는 경우에도 공동명의인의 동의를 반드시 받아야 하며, 담보대출 비율도 낮아집니다.

매매, 전세 등 모든 권리관계를 행사함에 있어서도 배우자의 동의가 반드시 필요하며, 압류 또는 가압류 등 발생 시 배우자의 지분까지 권리행사를 못합니다. 쉽게 말해, 집을 팔 때에나 전세를 줄 때에도 공동명의인의 동의 없이는 행사할 수 없다는 뜻입니다.

반대로 공동명의인 중 일방이 소유한 지분이 경매에 넘어가게 된다면 집 전체가 아닌 그 지분에 대해서만 경매가 진행됩니다. 또한, 부부 중 별도의 소득이 없는 사람에게는 지분 보유의 사실로 인해 국민연금 및 건강보험료 등이 추가로 발생할 수 있으므로 이에 주의해야 합니다.

⑤ 경비 인정 항목을 챙기는 절세

양도세를 조금이라도 절약하기 위해서는 취득에 소요된 제반 비용은 필요 경비로 공제 가능한, 즉 절세 가능한 항목들이기 때문에 이에 대한 증빙 서류를 잘 챙겨둘 필요가 있습니다. 제반 비용과 증빙 서류의 사례는 다음과 같은 것들입니다

- 취득세와 등록세: 영수증이 없어도 인정 가능
- 취득 후 지출한 비용 및 이용의 편의나 가치 증진을 위해 지출한 비용만 인정

- 필요경비 인정 항목: 섀시공사, 거실확장공사, 발코니확장공사, 붙박이장, 보일러 교체 등 자본적 지출 및 취득시에 들어간 계약서 작성비용, 중개수수료, 공증비용, 인지대 등

  * 시공업자에 따라서는 비용 증빙 서류를 잘 해주지 않으려는 사람들이 종종 있습니다. 따라서 처음부터 공사 금액과 증빙 서류 발급에 대해 확실하게 약속하고 공사를 시작하는 것이 바람직합니다.

- 필요경비 불인정 항목: 도배공사, 싱크대 교체, 욕조 교체 등 단순 수리적 성격의 항목

⑥ 1인 부동산 법인 설립을 통한 절세[39]

최근에는 다주택자 개인에 대한 규제와 세금 부과가 집중되다 보니 아예 부동산 투자 접근법을 다르게 해보자는 차원에서 1인 법인을 설립해서 투자하는 방안이 제시되기도 합니다.

「지성의 돈 되는 부동산 1인 법인」이라는 책에 따르면, 부동산 투자를 위한 1인 법인 설립 시에는 명의 활용의 제약이 적다(법인과 개인은 별개의 명의이므로 법인이 아무리 부동산을 많이 소유하더라도 개인은 계속 1주택자로 남아있을 수 있음), 절세 효과가 크다(개인은 과세표준이 1,200만 원을 넘어가면 세율이 15%로 뛰는 반면, 법인은 과세표준 2억 원까지 법인세율 10%가 유지됨), 투자 관련 비용을 세금에서 공제받을 수 있다, 건강보험료 부담이 줄어든다는 등의 장점이 있습니다. 그 밖에도 갈수록 강화되어지는 각종 개인 대상 대출규제에서 상대적으로 자유롭다는 것도 큰 장점일 것입니다.

---

39) 지성, 「지성의 돈되는 부동산 1인 법인」, 잇콘(2019)

본 책 중에서 부동산 1인 법인의 설립 중 최대의 장점으로 제시한 세금절감효과를 잠시 살펴보겠습니다.

아래에 서울 2주택 보유자가 보유 2년 만에 2억 원의 양도차익으로 매각할 경우를 가정한 세금부과 사례(개인 vs 법인)를 정리해 보았습니다.

구분	개인	법인
양도차익(A)	200,000,000원	200,000,000원
취득세, 중개수수료, 수리비 등 공제항목(B)	10,000,000원	10,000,000원
기본과세표준(C=A–B)	190,000,000원	190,000,000원
개인 기본공제(D)	2,500,000원	0
과세표준(E=C–D)	187,500,000원	190,000,000원
적용세율(F)	기본 양도세율 38%+조정대상지역 추가양도세율 10%=48%	190,000,000원에 대한 법인추가과세 10%+추가과세를 제외하고 171,000,000원에 대한 법인세 10%
세금부과 총액(E×F)	과세표준 187,500,000원에 대한×양도세율 48% =90,000,000원 –누진공제액 19,400,000원 =최종 양도세액 70,060,000원 총 70,060,000원	과세표준 190,000,000원에 대한 법인추가과세 10% =19,000,000원+추가과세를 제외하고 법인세 과세표준 171,000,000원에 대한 법인세 10%=17,100,000원 총 36,100,000원주)

* 지방소득세 및 부가세는 편의상 계산식에서 배제함.

주) 이때 법인 사업을 위해 지출된 필요경비(급여, 접대비, 운영비 등)는 소득에서 공제되므로 만약 **필요경비로 연간 1천만 원을 썼다면** 법인세 과세표준인 171,000,000원에서 1천만 원 줄어든 161,000,000원이 되어 법인세가 16,100,000원이 나와서 법인추가과세 19,000,000원을 합쳐서 **총 35,100,000원**으로 세금이 줄어들며, **필요경비로 연간 1억 원을 썼다면** 법인세 과세표준인 171,000,000원에서 1억 원 줄어든 71,000,000원이 되어 법인세가 7,100,000원이 나와서 법인추가과세 19,000,000원을 합쳐서 **총 26,100,000원**으로 세금이 줄어듭니다.

1인 부동산 법인은 세부내용으로 파고들어 가면 그것만으로도 책 한두 권 분량이 나올 수 있으므로, 여기에서는 1인 부동산 법인 관련한 유의사항을 몇 가지 간단히 정리하는 것으로 마무리하겠습니다.

- 법인 설립이 유리할 때: 주택 보유 명의를 분산하고 싶을 때, 양도세가 부담스러울 때, 부동산을 사업적으로 매매하려는 경우, 기타 취득세율 4%를 적용받고 싶지 않거나 보유세 부담을 줄이고 싶을 때

- 대출규제, 중과세 규제 회피: 개인 및 다주택자에 대한 대출규제 및 중과세 적용에서 자유롭습니다. 따라서 단기매매 역시 자유롭습니다.

- 법인 운영비로 인정되어 과세표준이 줄어드는 항목: 인건비, 사업장 임대료, 인테리어비용(수익적 지출), 차량유지비, 통신비, 활동비, 비품구입비 등

- 법인 설립이 불리할 때: 법인 설립 및 운영상의 목적이 불분명한 경우, 부동산 매매횟수가 적을 때, 중과세가 적용되지 않을 때

• 상법 준수 의무: 법인은 상법에 의거하여 주주와 채권자 등을 보호하는 조치가 많으므로 개인의 호주머니 쌈짓돈처럼 운영하다가는 각종 제재에 해당될 수 있습니다.

• 번거로움: 법인을 설립하고 운영하는 것은 개인 임대사업자에 비해 번거롭고, 설립시간도 걸리고, 여러 가지 추가 비용도 듭니다.

• 소재지 및 증빙자료에 주의: 과밀억제권역(서울 전역 및 인천, 경기 대부분의 지역) 내에 있으면 취득세가 중과됩니다, 과밀억제권역을 피해서 법인을 설립했다면 그곳에서 실제 법인 업무가 이뤄지고 있다는 증빙이 필요합니다.

• 장기보유특별공제 없음: 개인에게 적용되는 장기보유특별공제 항목이 법인에는 적용되지 않습니다.

끝으로, 이미 개인 명의로 산 부동산을 굳이 법인 소유로 전환하는 것은 거래비용 중복 및 법인 운영 관련 증빙 차원에서 득보다 실이 클 경우가 많습니다. 법인 소유의 부동산 투자는 부동산의 최초 매입시부터 철저하게 계획하고 준비하여 실행하는 것이 바람직할 것입니다.

⑦ 양도세를 겁내지 마세요, 어쨌든 번 돈에서 내게 되는 것이 양도세입니다

앞서 1인 부동산 법인 설립에서 살펴본 사례에서도 나와 있듯이,

부동산 양도세는 어찌되었든 양도소득이 있어야만 발생하는 항목입니다. 즉, 시세차익이 발생해서 소득이 생겨야만 그에 대해 세금을 무는 것입니다.

물론 세금을 기분좋게 턱턱 내는 사람은 그리 많지 않겠지만, 세금을 줄이려고 정당하게 노력하기는 하되 세금 때문에 과다한 스트레스를 받거나 투자를 꺼려하지는 말자는 것이 필자의 주장입니다.

어차피 어떤 형식으로든 투자로 인해 생긴 소득은 자유 민주주의와 자본주의를 바탕으로 한 대한민국의 사회 시스템하에서 발생한 것이고, 그렇다면 그 사회 시스템의 한 구성원으로서 사회에 기여한다는 기분으로 소득에 대한 세금을 기분 좋게 받아들이는 것이 어떨까요?

더 이상 줄일 수 없고 피할 수 없는 세금은 기분 좋게 내고 다시 그 세금 이상의 소득을 올릴 수 있는 기회를 찾으려고 노력하는 것이 바람직하지 않을까 하는 생각입니다.

Special Tip

부동산 종합포털 FineLand에서는 아래와 같이 고가 주택 양도소득세 간이계산기 서비스(http://www.fineland.co.kr/site/1house2020.php) 및 주택 임대소득세, 건강보험료, 국민연금 간이계산기 서비스(http://www.fineland.co.kr/site/imdesodukhealth.php)를 제공하고 있습니다.

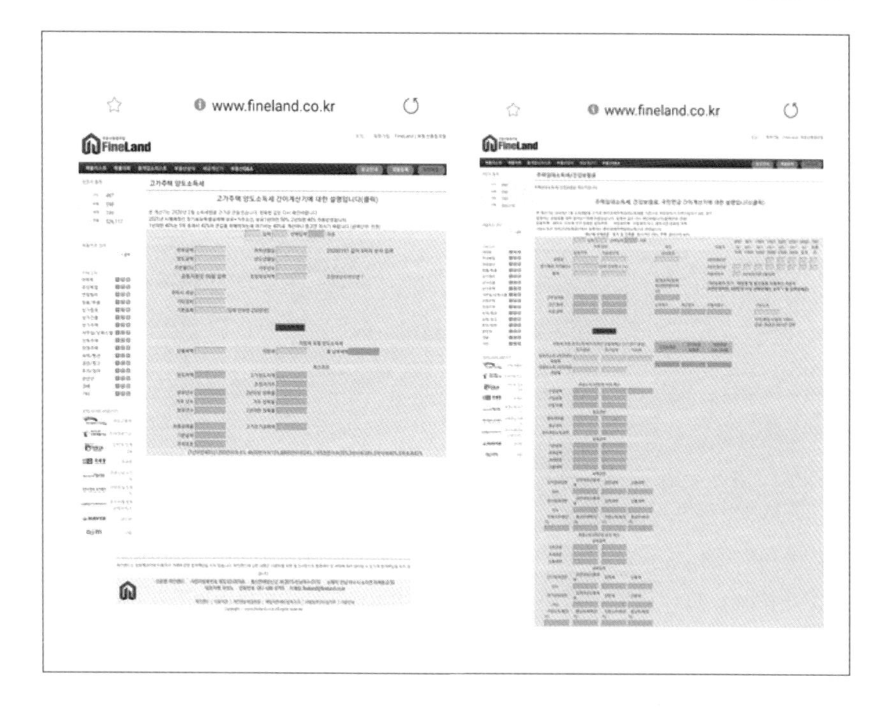

Special Tip

국민연금 홈페이지(www.nps.or.kr)에서는 아래와 같이 연금보험료 간편계산기 서비스 및 국민건강보험료 간편계산기 서비스를 제공하고 있습니다.

(https://www.nps.or.kr/jsppage/business/insure_cal.jsp)

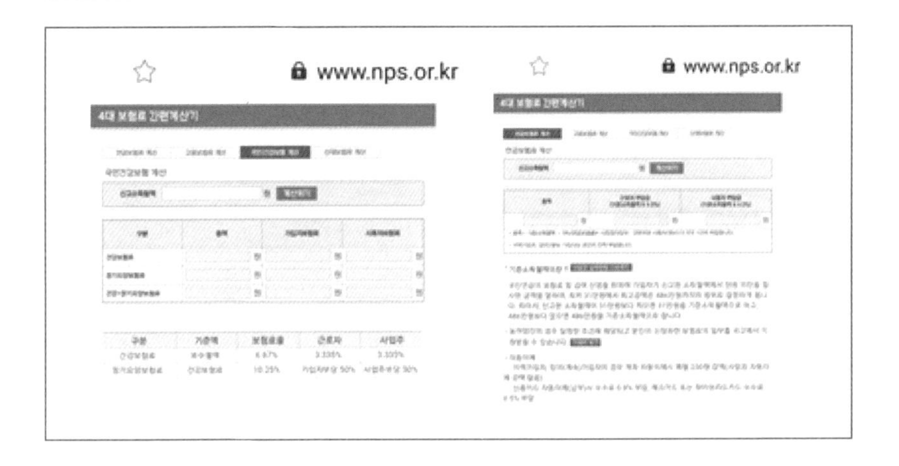

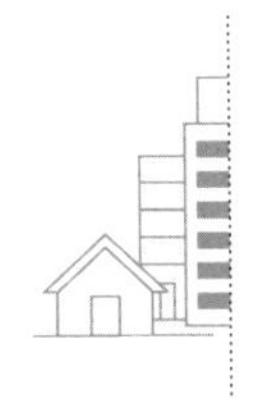

투자 9
부동산 규제를 이해하고 향후 풍선효과에 주의하라

문재인 정부는 2020년 4월에 치뤄진 국회의원 총선거에서 기록적인 대승을 거두었습니다. 범여권의 국회의원 총수가 총 180명 이상에 달했습니다.

정부와 여당은 이러한 승리를 바탕으로 수도권 3기 신도시 건설에 박차를 가하는 한편 다주택자 종부세 강화, 대출 규제, 재건축 · 재개발 규제를 더욱 강화할 것으로 보입니다. 앞서 말했듯이 '토지공개념' 원칙을 반영한 개헌을 추진할 것이라는 관측도 나오고 있습니다.

정부 정책의 잘잘못을 떠나, 부동산 시장에 대한 규제가 강화되면 그에 대응하기 위한 풍선효과는 더욱 심해질 것입니다. 규제를 피해 틈새시장이 단기적으로 상승하는 모습을 보일 것으로 예측되는데, 아래에서 향후에 예상되는 풍선효과를 지역, 제도, 가격의 3가지 요인으로 정리해보고자 합니다.

① 지역: '수용성'에서 '안시성', '남산광', '오동평', '김부검'으로 확장되는 추세

정부의 2020. 2. 20. 대책 중 최근 집값이 급등한 수도권 일부지역을 조정대상지역으로 지정하는 '핀셋 규제'에 나서서 수원시 영통 · 권선 · 장안구와 안양시 만안구와 의왕시를 조정대상지역으로 신규 지정했습니다.

이후 수용성(수원 · 용인 · 성남)은 진정세를 보였으나, 곧이어 안시성(안산 · 시흥 · 화성), 김부검(김포 · 부천 · 검단), 오동평(오산 · 동탄 · 평택) 등 다음 풍선효과가 나타날 곳에 대한 기대가 반영된 신조어들이 계속 만들어지고 있습니다.

먼저 '안시성(안산 · 시흥 · 화성)'은 아직 비규제지역이며, 경기 서남부권과 서울 여의도를 잇는 신안산선 개통이라는 교통 호재가 있습니다. 그동안 수도권에서 상대적으로 소외됐던 지역으로 풍선효과가 예상되는 대표 지역 중 하나입니다.

안시성에 이어서 주목받고 있는 곳은 '남산광(남양주 · 산본 · 광명)'입니다. 이미 투기과열지구로 지정된 광명은 민간택지 분양가 상한제를 적용받고 있지만, 아직까지 투기지역으로까지는 격상되지 않은 것으로 인해 주목받고 있습니다.

또한 남양주와 산본은 장기간 집값 상승률이 낮았고 규제에서 자유로워 이번 추가 규제에 따른 반사 이익을 기대하고 있다. 오동평(오산 · 동탄 · 평택)과 김부검(김포 · 부천 · 검단)도 풍선효과 후보지로 거론되고 있습니다.

아무튼 1,000조 원이 넘는 부동자금이 정부 규제를 피해 수도권을 옮겨 다니는 풍선효과는 갈수록 확대되고 있습니다. 박원갑 KB국민은행 부동산 수석전문위원에 따르면 "9억 원 이하 아파트가 많고 장기간 집값 상승률이 낮았으며 교통이나 정비 사업 호재가 있는 곳의 집값이 뛸 것"이라며 "세 조건에 해당하는 수도권 내 다른 지역의 중저가 아파트 위주로 불이 옮겨 붙을 가능성이 높다"고 합니다. 하지만 어느 정도 상승률이 가시화되면 이들 지역에도 정부의 핀셋 규제가 계속 내려질 가능성이 높은 점에 주의하여야 할 것입니다.

② 제도: 규제 회피를 통한 세금 절감, 꼬마빌딩이나 오피스텔 및 똑똑한 1채 선호도 상승

부동산 시장의 최근 추세 중 하나는 부담부증여, 관리신탁 활용, 부동산 법인 설립 등이 활발해졌다는 점입니다. 예전에는 자녀에게 주택 마련 자금을 지원했지만, 지금은 집값이 워낙 비싸졌기도 하고 섣불리 자금을 지원하다 보면 소득원 추적의 대상의 되기 때문에 아예 증여로 선회하는 경우가 많아졌습니다.

증여로 인해 다주택자 양도세 중과를 회피하는데, 증여세를 줄이기 위해 전세보증금이나 대출 등 채무와 함께 넘기는 부담부증여의 채무증여로 인한 세금 절감 효과가 크기 때문입니다.

부동산 관리신탁을 맡기거나 법인 설립을 통해 가구별로 부과되는 종부세를 회피하려고도 합니다. 상가, 오피스텔로 투자 종목을 전환하던가, 똑똑한 1채에 집중 투자하는 방식은 편법이 아니므로 차라리 애교에 가깝습니다.

③ 가격: 9억 원 미만 주택에 선호도 집중

서울 및 경기도 권역에서 규제 대상에 해당되지 않는 9억 원 미만 주택에 대한 선호도가 급증하여 갈수록 모든 아파트가 9억 원에 도달하는 기현상이 벌어지고 있습니다.

그러나 이러한 풍선효과는 어디까지나 정부의 규제로 억눌려진 상황으로 인해 눌려지지 않은 반대쪽이 부풀어 오르는 것에 지나지 않는다는 점을 주의해야 할 것입니다. 결코 풍선 자체가 커진 것은 아닙니다.

틈새시장에서도 좋은 기회를 포착하여 수익을 내는 경우도 있겠으나, 일시적으로 부풀어 오른 풍선효과를 마치 풍선 자체가 커진 것으로 착각하여 성급한 투자에 나서는 일이 없도록 거듭거듭 주의하는 것이 좋을 것입니다.

2020 달라지는 부동산 제도

구분	제도	시행시기
세제	장기보유특별공제 혜택 축소	1월
제도	전세자금대출 후 신규 주택 매입 제한	1월
세제	주택 유상거래취득세율 개선	1월
제도	주택 청약시스템 이관	2월
	실거래가 신고기간 단축 및 집값 담합 처벌	2월
	부동산중개보수 기입과 확인 의무화	2월
	자금조달계획서 제출대상 확대 및 거래 소명 강화	3월
	불법 전매 시 청약제한 및 재당첨 제한 강화	3월
	주택연금 가입대상 개편	1분기
	100세 이상 공동주택 관리비 의무 공개	4월
	민간택지 분양가 상한제 유예기간 종료	4월
세제	2,000만 원 이하 임대수익 소득세 신고	5월
금융	신용카드 월세 납부 서비스 출시	6월
세제	조정대상지역 내 다주택자 양도세 중과 한시적 배제	6월 말까지
제도	도시공원 일몰제 시행	7월
	허위매물 게시 금지 및 처벌 시행	8월
세제	공모형 리츠 · 부동산 펀드 세제혜택 확대	2020년
	단독주택 · 꼬마빌딩 상속세와 증여세 증가	
	종합부동산세 세율 향상 조정	
	공시가격 현실화 및 형평성 제고	

자료: 부동산 114

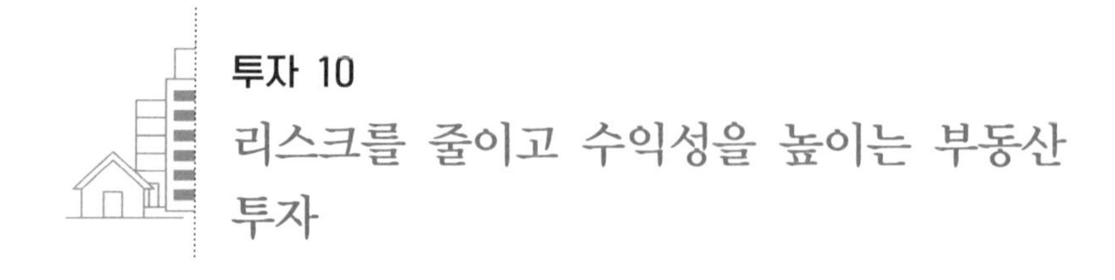

투자 10
리스크를 줄이고 수익성을 높이는 부동산 투자

부동산 투자는 안 그래도 거액이 투입되는 중대한 투자인데다가, 코로나 상황으로 인해 전체적인 변동성과 리스크가 더 커졌기 때문에 무조건 리스크를 줄이고 수익성을 높이는 방법을 최대한 강구하는 것이 좋습니다. 구체적으로는 다음과 같은 방법을 고려해 볼 수 있습니다.[40)]

① 구시가지의 원룸이나 다가구, 빌라, 오피스텔 투자

이미 포화 상태이거나 임차인을 구하기 어려울 수 있습니다.

② 불황기에 대비한 임차인의 준비

역전세에 대비, 전세보증보험에 가입하고 적정한 매수 가격과 타이밍을 준비하십시오.

③ 노후 대비 상가 투자

잘 알지 못하는 지역에서 비싸고 임대료 낮은 상가를 덜컥 사는 일은 위험합니다. 권리금이 다소 비싸더라도 안정상권을 검증하십시오.

---

40) "장우석, 「부동산 투자 상식」, 좋은땅(2018)"의 내용 중 일부를 발췌, 재구성했습니다.

④ 신도시 분양상가

3년 정도 지난 후 검증되면 투자하는 것이 좋습니다. 신도시가 안정되려면 최대 5~10년은 걸립니다. 신도시에 사는 사람들이 해당 상가의 매출액 중 얼마를 소비해줄지 계산해보고, 그에 따라 적정 분양가와 임대료를 산출해보는 것도 필요합니다.

⑤ 토지

개발계획에 대한 시행인가가 나온 곳을 매수하고 적어도 5~10년을 묵힐 각오로 투자해야 수익이 극대화됩니다. 토지는 장기 투자로 기다려야 하므로, 대출받아 땅을 사지 않는 것이 정석입니다.

⑥ 재개발 권리 투자

조합 설립이 되었다 하더라도 쉽게 주변 빌라나 아파트를 매수하지 마십시오. 관리 처분과 실제 공사 시작까지는 시간이 많이 걸리거나 중간에 조합이 해체될 수도 있습니다. 조합장이 건설회사나 용역회사와 '뒷돈 거래'를 챙기는 등의 비리가 생기는 일도 빈번하고, 최근에는 조합이 성립될 수도 없는 상황에서 모든 제반 서류를 위조하여 조합원 자격을 모집한 사기도 등장한 바 있습니다.

⑦ 지역 조합 설립을 통한 아파트 및 오피스텔 분양

분양가는 주변에 비해 다소 싸지만 100% 조합원 확보까지 시간이 많이 걸리고 조합원 분담금이 커질 수도 있습니다.

이어서 리스크를 줄이고 수익성을 높이는 실제 사례를 하나 들어보고자 합니다. 이름하여 "고수 따라하기" 투자법으로, 홍콩 최고 부자인 리카싱(李嘉誠) 청쿵그룹(CK 허치슨그룹) 회장과 30년 동안 그의 자가용을 운전했던 기사 샤오밍에 대한 이야기입니다. 이미 여러 언론과 방송에 소개된 이야기라 아는 분들도 많으리라 생각합니다.

평소 검소한 성격의 리카싱 회장은 운전기사들에게 기름값을 아끼라고 자주 호통을 쳤습니다. 점심식사는 종종 저렴한 샌드위치로 해결했으며, 운전기사에 대한 월급 역시 박했습니다. 이에 다른 운전기사들은 리카싱 회장의 괴팍한 성격과 박봉을 참지 못하고 자주 일을 그만뒀습니다. 반면 샤오밍은 이를 버텨내고 30년 동안 그의 운전기사로 일했습니다.

30년 후 샤오밍은 이제 늙어서 운전기사 일을 그만두겠다고 회장에게 말했다. 리카싱 회장은 샤오밍이 그만둔다고 하자 그동안 고생한 공로를 위로하고자 한화 약 3억 원을 퇴직금으로 건넸습니다. 하지만 샤오밍은 그 돈을 사양했습니다. 왜 돈을 받지 않냐고 리 회장이 묻자 그는 이렇게 대답했다고 합니다. "회장님이 차 안에서 통화하시는 말씀을 제가 듣지 않았습니까? 회장님이 부동산을 매입하라고 할 때마다 저도 그 인근에 있는 땅을 조금씩 사 두었습니다. 그 땅값이 올라 지금은 30억 원에 달합니다. 그 돈만으로도 여생을 풍족하게 보낼 수 있습니다."

독자 여러분들은 이 이야기를 어떻게 느끼셨나요? 이 이야기에서 제가 운전사 샤오밍으로부터 배운 교훈은 3가지 정도였습니다. 첫째 통찰력, 둘째 실행력, 셋째 인내입니다.

본인이 부동산 투자에 뛰어나지 않다는 점을 알고 리 회장의 뛰어난 혜안과 정보력을 그대로 받아들일 수 있는 통찰력, 박봉의 운전사임에도 불구하고 어떻게든 리 회장의 부동산 주변에 투자를 이뤄낸 실행력, 그리고 30년에 이르는 운전기사 근무 기간 중에 이미 어느 정도 부동산으로 상당한 부를 형성했을 텐데도 불구하고 중간에 그만두지 않고 끝까지 절제하며 기사로서의 소임을 다한 인내(아마도 계속 최고급 정보를 얻고 싶어서 그랬는지도 모르겠습니다만…).

이 3가지는 부동산 투자에 나서려고 하는 모든 사람들에게 중요한 교훈을 주고 있다고 생각됩니다. 모쪼록 독자 여러분들도 이 3가지 요소를 늘 기억하였으면 좋겠습니다.

코로나 이후 투자 - Coronacus' Investment

현금 확보 Cashflow 확충	절세전략 수립 2년 거주 필수	발빠른 갈아타기 교체 · 매매 매수타이밍 포착 적극적인 상속 · 증여	전세보증보험 고려 내부수리 및 환경 업그레이드

코로나 이후의 부동산 투자 실행 전략은 비교적 간단하며, 이미 앞에서도 대부분 얘기한 내용이라 길게 설명하지 않아도 될 것 같습니다.

- 현금을 확보하고 Cashflow를 확충하고,
- 절세전략을 잘 수립하며 보유한 아파트의 경우 개인적인 상황이 힘들더라도 꼭 2년 거주 요건을 채울 것을 추천 드리며,
- 발빠른 갈아타기와 교체매매, 매수 타이밍 포착, 그리고 (능력이 된다면) 적극적인 상속 증여에 나설 것,
- 끝으로 전세보증보험을 고려하는 등 가격 폭락에 대비하고, 충분한 시간과 노력을 들여서 보유하고 있는 부동산의 내부수리나 환경 업그레이드에 신경 쓰는 것이 좋으리라 생각됩니다.

자신만의 비전을 세우고, 인내하고, 노력하라

Vision

비전 ❶ 당신의 전체 자산 중 부동산 비중은? 또한 그 의미는?

비전 ❷ 한국에서 부동산 투자가 앞으로도 계속 유효한 이유는?

비전 ❸ 비전을 키우는 방법

비전 ❹ 월급쟁이가 부자가 되지 못하는 12가지 이유

비전 ❺ 부동산 투자가 월급쟁이 회사생활에도 좋은 점

비전 ❻ 30대 중반 직장여성의 강남 입성 스토리

비전 ❼ 전략적인 부동산 투자를 위해 갖춰야 할 준비

비전 ❽ 부동산 관련 무료 자료 사이트 및 블로그 탐독

비전 ❾ 부동산 / 재테크 추천도서 10선

(최소한 이 정도는 읽고 투자하십시오)

비전 ❿ 잘못된 Vision의 실제 사례

코로나 이후 비전 Coronacus' Vision

Part
04

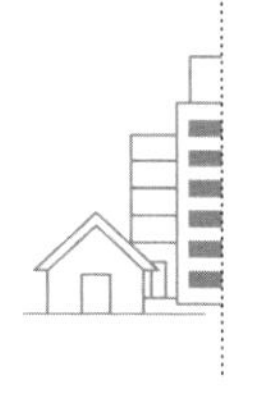

비전 1
당신의 전체 자산 중 부동산 비중은? 또한 그 의미는?

한 언론 보도에 따르면 한국의 가계자산에서 부동산 자산이 차지하는 비중이 70%에 육박하고, 주택을 보유한 가구의 경우에는 부동산 자산의 비중이 무려 80%에 근접했다고 합니다. 또 이런 부동산 자산에 대한 편중은 시간이 갈수록 심화되고 있습니다.

국내 가계자산 중에서 부동산 자산이 차지하는 비중은 지난 2013년 67.5%였으나, 5년이 지난 2017년에는 69.8%로 증가했습니다. 동 기간에 늘어난 가계자산 중에서 84%가 부동산 자산이었습니다.

부동산에 더해 자동차 등 기타 실물자산을 포함한 비금융자산 비중은 74.4% 수준으로 조사됐으며, 이는 미국의 34.8%나 일본의 43.3%, 영국의 57.5% 등 주요국과 비교하면 크게 높은 상황입니다.

특히 주택을 보유한 가구의 경우 부동산 자산에 대한 편중이 더욱 심한데, 이들의 경우 자산 중 부동산 자산의 비중은 5년 전보다 1.6% 포인트 높아진 77.7%로 나타났다고 합니다.[41]

이렇게 국내 가계자산에서 부동산 비중이 평균 70%인 상황에서, 독자 여러분들의 부동산 비중은 어느 정도가 되나요? 만약 부동산 비중이 70%가 안된다고 한다면 부동산 말고 더 안전하고 수익성이 높은 분야에 잘 투자하고 있거나 확정 소득이 잘 발생하고 있는 중인가요?

역으로 생각해 보면, 한국의 부동산 시장은 이렇게 전 국민 개개인이 70%의 자산을 투자하고 있는 엄청나게 큰 시장입니다. 이렇게 큰 시장에 대해 관심이 없고 잘 모른다는 것은, 엄청난 부의 기회에 대해 관심이 없고 잘 모른다는 말과 동일하다고 할 수 있을 것입니다.

더 좋은 투자 기회는 사람들이 더 많이 관심을 갖고 모이는 분야에서 쉽게 발생하기 마련입니다. 그리고 이왕이면 정보와 자금과 인맥이 몰리는 큰물에서 놀아야 여러 가지 기회를 조금이라도 더 잡을 수 있을 것이 당연합니다.

---

41) 황병극 기자, 「부동산 자산편중 심화…가계자산의 70% 차지」, 연합인포맥스, 2018. 9. 28.

마지막 질문으로, 독자 여러분들이 일상생활 속에서 부동산에 대해 공부하고 연구하는 비중은 과연 얼마 정도인가요? 자산 비중으로 따지자면 일상생활의 평균 70%는 투입해야 하지 않을까요. 부동산 전업투자자나 공인중개사라면 몰라도 평범한 일반인으로는 일상생활의 70%는 무리라고 반론할 수도 있겠지요.

그렇다면 최대한 양보해서 생업에 종사하거나 이동시간, 휴식시간, 식사시간 등을 제외한 개인 여가 시간의 70%는 부동산에 대해 공부하고 연구하는 시간으로 배정해야 하지 않을까요.

이상과 같이 부동산 자산 비중 70%가 주는 의미를 다각도로 생각해 보았으면 합니다.

비전 2
한국에서 부동산 투자가 앞으로도 계속 유효한 이유는?

결론부터 말하자면, 한국에서 부동산 투자는 앞으로도 계속 유효할 수밖에 없습니다. 필자는 그 이유를 국토 내 평지 면적 비율(30%), 도시화 비율(92%), 공공임대주택 보급률(7%), GDP 대비 건설투자 비중(15%) 등으로 설명하고 싶습니다.

먼저, 산림청의 조사결과에 따르면 2015년 현재 한국의 산림면적은 633만 5,000ha로, 국토의 63.2%를 차지합니다. 이러한 국토면적 대비 산림비율은 경제협력개발기구(OECD) 국가 중 핀란드, 일본, 스웨덴에 이어 4위에 해당합니다. 그나마도 하천이나 습지 등을 제외하면 주택이나 공장 등 건물 설립이 가능한 평지 면적은 겨우 국토의 30% 가량에 지나지 않는 것입니다.

또한 도시화 비율은 무려 92%에 달하고 있습니다. 국토교통부와 한국토지주택공사가 발표한 '2018년 도시계획현황 통계'에 따르면 우리나라 주민등록상 총인구 5,182만 명 중 도시지역에 거주하는 인구는 91.8%(4,759만 명)로 집계되었습니다.

용도지역으로 지정된 우리나라 국토 면적 10만 6,286㎢의 약 16.7%(1만 7,789㎢)에 우리 국민 열중 아홉이 살고 있는 셈입니다.[42]

다음으로 공공임대주택 비율을 살펴볼까요. 한국, 홍콩, 싱가포르는 도시화 비율이 90%가 넘는 국가들입니다. 그런데 홍콩의 공공임대주택 비중은 50%이며, 싱가포르는 80%에 달합니다. 한국은 아직도 공공임대주택 비중이 7% 가량에 불과합니다(싱가포르는 '정책 10' 파트에서 말했듯이 조금 특수한 경우입니다만…).

서유럽 국가들의 공공임대주택 비중이 20%를 넘는 것에 비교하면 턱없이 적은 수치입니다. 일본(7%)이나 미국(5%)처럼 공공임대주택 비중이 적은 선진국도 있습니다만, 일본과 미국은 민간임대주택이 공공임대주택의 몇 배(일본은 약 2배, 미국은 5배 이상)에 달할 정도로 활성화되어 있기 때문에 민간임대주택이 부족한 한국의 상황과 직접적으로 비교하기는 어렵습니다.

끝으로 한국의 GDP 대비 건설투자 비중은 15%에 달해 매우 높은 편입니다. 미국, 일본 등 선진국들은 국민소득이 3만 달러를 넘으면서 건설투자 비중이 대체로 8~10%에서 정체되었습니다.[43] 그런데 이렇게 건설업의 비중이 높으면서도 임대주택 건설이나 소형주택 보급이 활성화되어 있지 않다는 것은 무엇을 의미할까요?

42) 「국민 10명 중 9명, 도시 거주…도시화추세 지속」, 뉴시스, 2019. 6. 24.
43) 정선은 기자, 「한국 GDP 대비 건설투자 비중 크다」, 한국금융, 2016. 10. 27.

필자는 이러한 상황에 대해 관계부처 공무원, 건설업, 금융업 등의 이해관계자들이 모여서 일종의 암묵적인 '건설 카르텔'을 형성하고 있으며 대규모 소형주택의 건설과 보급은 그들의 이해관계를 해치므로 방해 내지는 적어도 방관하는 것이 아닌가 의심을 가져봅니다.

예를 들어, 미국의 프리패브 주택(공장에서 대량 생산되어 현장에서 조립하는 일종의 모듈형 주택, 일반적으로 거실+방 3개+주차 2대 기준)의 평균 순 건축비(토지 제외)는 8만 2천 달러, 즉 원화로 1억 원 남짓에 불과하다고 합니다.[44]

호주의 모듈형 주택도 1제곱미터당 건축비를 평균 300~400달러(USD) 정도로 제시한 사이트들을 쉽게 찾아볼 수 있습니다. 한국의 33평형으로 환산하면 110제곱미터이므로 33,000~44,000달러, 즉 4~5천만 원 수준에 지나지 않는 것입니다.

이렇게 저렴하고 공사 기간이 획기적으로 줄어드는 모듈형 주택을 왜 정부나 민간 건설업체에서 도입하지 않는지에 대한 의문이 자연스럽게 떠오릅니다. 그것은 바로 '선분양제'라는 독특한 주택판매제도로 인해 건설회사나 금융회사의 미분양 리스크가 최소화되는 장점을 굳이 버리기 힘든 점이 가장 크다고 할 수 있습니다.

44) 허윤경 · 김성환, 「미국 주택기업의 비즈니스 모델 분석」, 한국건설산업연구원(2018), p.11

공사비를 잔뜩 들인 비싼 주택을 선분양제로 만든 후, 모델하우스 입장에 줄을 세우고 주택 배정에 추첨을 시켜가면서 팔아도 살 사람이 있기 때문에 굳이 수익성이 낮은 새로운 시장에 진출할 이유가 없는 것입니다.

또한 과거에 보급된 모듈형 주택의 부실공사 논란 및 하자보수 미비로 인해 소비자의 신뢰도가 부족하고, 이에 따라 소비자의 대량 수요가 부족하니까 대규모 생산도 이루어지지 않아 평균 공급단가 절감이 이루어지지 않은 점도 있습니다.

혹시 어떤 이들은 건축비는 그렇다 치더라도 한국, 특히 서울 시내에 적당한 토지가 없다는 생각을 할지도 모르겠습니다. 하지만 필자의 생각은 "과연 그럴까요?"입니다.

잠실만 해도 종합운동장, 야구장, 농구장 등 어마어마한 부지가 1년 중 운동경기 며칠 열리는 것 말고는 활용도가 낮은 채로 사실상 방치되어 있습니다. 이러한 대규모 운동경기장이 이제 굳이 시내 한복판에 있을 필요가 있을까요? 또 서초동에는 법원과 검찰청이 대규모 부지를 차지하고 있습니다. 그 넓고 비싼 땅에 법원과 검찰청이 아직도 떡하니 있을 필요가 있을까요?

용산 미군기지 부지에 100층 이상 규모의 고층빌딩을 하나만 지으면, 현재 서초동에 위치한 20층 높이의 서울중앙지방법원과 15층 높이의 대검찰청을 모두 수용하고 서초동 자리에 수많은 임대주택을 건설할 수 있지 않을까요? 갈수록 학생들이 줄어드는 학교 등 공공 기관이 보유한 토지를 재개발에 활용하는 아이디어는 이 밖에도 많을 것입니다.

이렇게 여러 가지 제도상의 미비점과 더불어, 정치권에서나 민간업체 어느 곳에서도 실제로 국민의 행복 증진을 위해 실질적인 임대 공급 내지는 저렴한 모듈형 주택 공급에 선뜻 나서지 않고 있는 상황이 획기적으로 개선되지 않는 한, 한국에서의 부동산 투자는 계속 유효할 수밖에 없다는 것이 필자의 견해입니다.

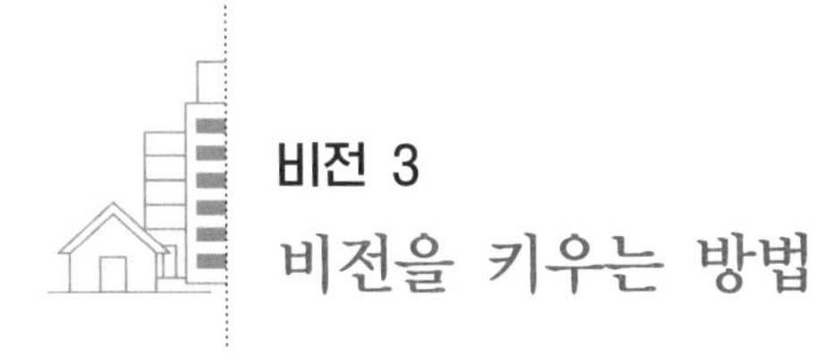

비전 3
비전을 키우는 방법

다음으로 부동산 투자에 대한 비전을 어떻게 키우면 좋을지 그 방법을 소개해 보겠습니다. 어떤 투자든 그에 대한 비전은 하늘에서 그냥 떨어지는 것이 아닙니다.

극히 일부의 사람들은 선천적으로 비전에 대한 이해도를 타고나거나 집안의 전통적인 교육 방식에 의해 자연스럽게 길러지는 경우도 있을 수 있겠지만, (저를 포함한) 대부분의 사람들은 아래의 내용을 포함하여 열심히 노력하고 연구해서 간신히 이루어지는 것이라고 생각합니다.

① 투자의 안목을 길러라 – 역발상과 숫자를 바탕으로 한 미래 예측

부동산을 바라볼 때 투자의 안목을 기르는 것이 가장 먼저 필요할 것입니다. 자신에게 제대로 된 안목이 없다면 설사 청쿵그룹 리카싱 회장이 항상 투자 포인트를 옆에서 불러줘도 이를 받아들이지 못하고 기회를 팽개칠 것입니다. 스스로의 안목이 길러지면 여러 가지 역발상도 생겨납니다.

맹지에 도로 허가권을 붙이는 방법을 발견해내거나, 2채 이상 같이 경매에 나온 아파트를 남들이 꺼려할 때 2세대 가족이 같이 거주하는 용도로, 또는 1층의 아파트를 남들이 꺼려할 때 피아노 학원이나 어린이집으로 활용하는 발상이 가능해집니다.

상가나 오피스텔 투자시에도 해당 지역에서 어느 정도의 소득 수준의 사람이 얼마나 존재하며, 이 사람들이 그 소득 중 얼마를 인근 지역 내에서 소비한다면 적정 규모의 임대 시장이 어느 정도가 되는지 숫자를 바탕으로 분석하면 정확한 미래 예측이 가능해질 것입니다.

그리고 본인이 숫자로 분석한 방식이 맞는지 유사한 다른 지역 몇 군데를 골라서 실제 사례와 들어맞게 추정했는지 검증해 보십시오. 비슷한 케이스의 검증 없이 막연한 감으로만 투자하는 것은 제대로 된 비전이 아닙니다.

② 자신이 100% 이해하고 통제하는 투자 비전을 가져라 – 펀드나 공동 투자는 No

부동산 투자의 비전은 본인 스스로 100% 이해하고 통제할 때 길러지는 법입니다. 특히 부동산은 여타의 유가증권과 달리 지분과 이해관계를 나누기가 쉽지 않고 법적인 제약이 많습니다. 제3자에게 펀드처럼 투자를 맡기거나 공동으로 투자하게 되면 가격이 상승하면 상승하는 대로, 하락하면 하락하는 대로 분쟁이 일어나기 쉽고 매각이 어려울 수 있습니다.

③ 부자 네트워크 수립(당신 주위에 친하게 지내는 부동산 전문 투자자가 몇 명인가요?)

지금 본인 주변에 부동산 투자에 관한 혜안과 성공 사례를 가진 사람이 몇 명이나 되는지 한번 세어보십시오. 그런 분들과 자주 만나서 서로 정보를 주고받고 계신가요?

부동산 투자에 대해 잘 모르면서 막연한 거부감을 갖고 있는 이들만 있다면, 그런 네트워크는 죄송하지만 비전 수립에 도움이 되지 않습니다.

어떻게든 부동산 부자 네트워크에 들어가려고 노력해 보십시오. 그런 분들을 직접 만나기가 어렵다면 아쉬운 대로 인터넷이나 책, 강의를 통해서라도 네트워크를 형성할 수 있습니다.

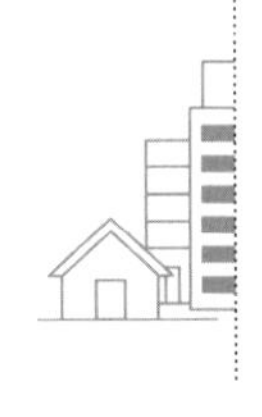

비전 4
월급쟁이가 부자가 되지 못하는 12가지 이유[45)]

아래는 월급쟁이가 부자가 되지 못하는 12가지 이유를 나열한 내용입니다. 필자는 이 내용을 적어놓고 가끔씩 찾아보면서 자칫 스스로가 안일해진 것은 아닌지 돌아보는 계기로 삼고 있습니다. 독자 여러분들도 혹시 이 12가지 내용 중 자신에게 들어맞는 것은 어떤 것인지, 그 내용을 벗어나기 위해서는 어떻게 해야 하는지 생각해 보았으면 좋겠습니다.

① 소득보다 저축에 비중을 크게 둔다

저축도 중요하지만 소득을 늘리는 방법을 구체적으로 연구해야 합니다.

② 금전적 여유가 없는데도 구매한다

투자가 아닌 단순한 소비는 최소화해야 합니다.

45) 본 12가지 이유는 큐리더 님이 작성한 네이버 블로그 "돈 모으지 못하는 월급쟁이의 12가지 이유, 2018. 9. 10."
(https://blog.naver.com/qctaac/221356104354)에서 가져온 내용을 기반으로 필자 나름의 해석을 추가하였습니다.

③ 자기 꿈보다 남의 꿈을 쫓고 있다

자신의 꿈이라야 공부도 즐겁고 노력도 버틸 수 있습니다. 자신의 꿈이 아니면 쉽게 지치게 됩니다.

④ 안정적인 월급에 만족한다

월급은 생각보다 안정적이지 않습니다. 월급 이외의 수입이 없다면 위기의식을 가져야 합니다.

⑤ 투자를 시작하지 않는다

No risk, No gain입니다. 투자하지 않고 수익으로 돌아오는 경우는 없습니다.

⑥ 불확실한 환경을 불편해한다

어디 어디 지역이 앞으로 유망하다고 아무리 말해도 사람들은 기껏 돈을 모아서 본인이 살고 있는 주변에서 조금 더 좋은 집을 사는 데 만족하는 경우가 많습니다. 불확실성에 과감히 도전하지 않으면 은행 이자 이상의 수익을 내기 어렵습니다.

⑦ 돈에 대한 정확한 목적과 비전이 없다

돈을 어떻게, 얼마나 벌고 그 돈으로 무엇을 할 것인지와 같은 비전이 있다면 마음가짐과 행동이 달라집니다. 투자와 소비에 대한 장기적인 계획을 세우게 되고 어떻게 하면 계획을 달성할지, 달성을 못했으면 그 원인은 무엇인지 고민하게 됩니다. 복권으로 큰돈을 벌었어도 몇 년 이내에 그 돈을 모두 잃고 다시 가난해지는 사람들의 뉴스가 종종 나옵니다. 목적과 비전이 없었기 때문입니다.

⑧ 돈을 다 쓰고 난 다음에 남은 것을 저축한다

저축, 투자, 공부는 여윳돈으로 하는 것이 아닙니다. 무조건 수입의 상당 부분을 할당하여 건드리지 말아야 앞으로 조금씩 나아갈 수 있습니다.

⑨ 자기는 부자가 될 수 없다고 생각한다

위에서 복권의 사례도 얘기했습니다만, 재벌가의 후손들 중에서도 물려받은 재산을 지키지 못하고 당대에 몰락하고 마는 사람들도 있습니다. 당대에 몰락하는 사람도 있을 수 있고, 당대에 큰 돈을 모으는 사람도 항상 나오기 마련입니다.

⑩ 부자가 되는 길을 너무 늦게 시작한다

부자가 되는 그래프는 $y = x$의 일차함수가 아니라 $y = x^2$의 이차함수이거나 $y = x^3$의 삼차함수 이상인 경우가 많습니다. 그것은 자본이 굴러가면서 스스로 커지는 눈덩이 효과(Snowball effect) 때문입니다. 부자가 되기 위한 노력은 가급적 빠를수록 좋지만, 설사 늦었더라도 이차함수와 같은 효과를 떠올리고 노력한다면 본인의 생각보다 금방 커질 수 있습니다.

⑪ 주변 사람들에게 쉽게 영향을 받는다

이 이야기의 전제는 본인도 '월급쟁이'로서 친한 주변이 전부 '월급쟁이'인 경우에 해당될 것입니다. 사업이나 부동산 투자를 해보지 못한(또는 해보지 않은) 사람들이 회사를 그만두고 장사에 나섰다가 망하는 것을 본 목격담을 하고, 양도세나 보유세에 대한 걱정을 하고, 정부 정책에 의해 집값이 폭락할지도 모른다고 이야기하는 것만 듣고 산다면 두려움에 사로잡혀 계속 월급쟁이의 틀을 깨지 못할 것입니다.

⑫ '운'이 좋아야 된다고 굳게 믿는다

저는 이렇게 설명해 보겠습니다. 한국말을 잘 하거나 영어를 잘 하는데 '운' 씩이나 필요할까요? 부동산 투자에 대한 노하우를 배우는 것은 어학을 배우는 것과 비슷하다고 생각합니다. 어학의 문법은 곧 부동산 제도나 법률, 세금 등을 공부하는 것처럼 기초가 되는 것이고, 단어를 외우는 것은 개별 부동산의 특징과 시세 변동을 머릿속에 쭉 떠올릴 수 있도록 하는 것과 비슷할 것입니다.

그리고 그런 어학 실력을 바탕으로 셰익스피어까지는 되지 못하더라도(즉, 부동산 재벌까지는 되지 못하더라도) 일상생활에서 신문을 읽고 영화를 보는 정도로 생활상의 불편함은 없을 정도가 되기는 쉬울 것입니다(부동산으로 인해 먹고 살 걱정은 없는 정도의 재산을 모으기는 쉬울 것입니다).

비전 5
부동산 투자가 월급쟁이 회사생활에도 좋은 점

앞에서는 월급쟁이가 부자가 되지 못하는 이유에 대해서 설명해 보았습니다. 반면에 부동산 투자가 월급쟁이의 회사생활에도 좋은 점, 도움이 되는 점도 있습니다.

필자가 총 24년간 월급쟁이 생활을 하면서 악착같이 부동산 투자를 시도해보려고 노력한 결과, 약간의 작은 성공(?)을 거두게 되면서 느낀 점들입니다.

① 개인적으로 힘든 상황에도 버틸 수 있는 안정감 부여

회사 생활에서 가장 힘든 상황은 무엇일까요? 필자의 경험으로는 첫 번째가 나와 맞지 않는 상사를 만나는 것이었고, 두 번째가 딱히 맞지 않는 상사는 없었지만 굳이 나를 인정하고 끌어주는 상사가 없어서 조직에서 소외당할 경우가 가장 힘들었습니다. 세 번째 이하로는 굳이 꼽을 필요도 없었습니다. 아무리 회사가 구조조정을 한다, 월급을 깎는다, 주변 동료나 부하가 나를 불편하고 힘들게 한다손 치더라도 그런 것들은 사실 그렇게 힘든 것도 아니고 잠시 동안 참으면 곧 지나가는 것들이었습니다.

어쨌든 그렇게 힘든 상황을 겪을 때에는 회사 생활에도 보람이 없고 매일매일이 지치고 괴로웠지만, 그럴 때 필자는 부동산 연구에 몰두한다는 탈출구가 있었습니다. 그리고 어느 정도 부동산 투자의 성과가 나타나기 시작하자 이제는 힘든 경우가 줄어들기 시작했습니다. 나와 맞지 않아서 나를 괴롭히는 상사가 나보다 부동산 재산이 적을 때 괴로움을 참아낼 수 있었습니다. 그리고 조직에서 소외당하고 부서 배치에서 불이익을 받거나 승진에서 누락되는 경우에도 그럴 수도 있겠거니 하고 참아낼 수 있게 되었습니다.

필자 생각에 저보다 업무 능력은 떨어지지만 정치적으로 잘 처신해서 조직에서 승승장구하는 주위의 경우를 보더라도 부동산 순자산 규모를 비교해서 생각하다 보면 버틸 수 있는 원동력이 되어 주었습니다.

② 업무상 옳다고 생각한 일을 강력히 추진할 수 있는 자신감 획득

필자는 회사원 생활 내내 투자와 기업 인수 관련 업무를 해왔습니다. 그리고 직급이 조금씩 높아지면서 회사의 중요한 의사 결정에 제 의견을 제출하거나, 어떤 경우에는 의사 결정을 직접 위임받아서 처리하는 경우가 서서히 늘어났습니다. 그런데, 제 부동산 재산도 서서히 늘어남에 따라 예전에는 '혹시 내 맘대로 주장했다가 주위에서 비난하거나 투자가 실패하면 어떡하지?'라는 걱정이 많았는데 갈수록 그런 걱정이 줄어들었습니다.

최선을 다해서 고민하고, 다각도로 최고급 정보를 수집했고, 스스로에게 떳떳하고, 객관적으로도 의사 결정상의 타당성을 증명할 수 있다면 된다는 자신감이 형성되기 시작했습니다. 그 저변에는 '까짓거 내가 뒷돈을 챙겼거나 법률을 위반하지 않는 한 의사결정상의 실패는 최악의 경우 내 한 몸 퇴직으로 책임지면 그만이고, 부동산 자산이 쌓여있는 한 언제 잘려도 굶어죽지는 않겠지'라는 생각이 밑바탕이 되었습니다.

그렇게 되자 매사 업무에 자신있게 임하게 되고, 대내외 관계에서도 '저 사람은 업무에 깐깐하지만 투명하고, 공정하고, 의사 결정 빠르고, 자신이 결정한 것에 책임을 진다'라는 평판이 형성되기 시작했습니다(심한 자화자찬이라 죄송합니다…). 그러한 평판이 더욱더 제 업무에 도움이 된 것은 말할 필요도 없을 듯합니다.

③ 투자, 공부 병행으로 업무 효율성 대폭 증가, 시간관리 방법 체득

회사 차원의 대규모 투자나 개인적인 부동산 투자나 그 본질은 거의 비슷하다고 생각합니다. 고급 정보를 수집하고, 현장을 잘 둘러보고, 관련 당사자나 이해관계자들과 상세 인터뷰를 하고, 미래 전략을 세우고, 위험 요소를 파악하여 미리 대비하거나 배제시키고, 세부적인 투자 금액과 향후 수익성에 대한 숫자를 검토하고 검증하고, 관련 전문가와 의논하고, 상대방과 협상을 합니다.

이러한 과정에서 회사 업무와 개인적인 부동산 투자가 일맥상통하기 때문에 좋은 점들이 많이 있었습니다. 업무상 취득한 노하우를 부동산 투자에 접목시키거나, 반대로 부동산 투자에서 얻은 노하우를 업무에 활용하기도 했습니다. 구체적으로는 시장 규모를 예측하고 수익성을 추정하는 업무상 노하우를 개인적인 부동산 투자에 적용시키기도 했고, 정보 수집에 웃돈을 얹어가며 미분양 아파트를 빨리 확보하는 의사 결정 방식을 업무에 적용하여 자문사들을 독려하기도 했습니다.

낮에는 일하고 퇴근 후나 주말에는 투자와 관련된 개인적인 공부를 계속 병행했기 때문에 업무상 효율성도 크게 증가하였고, 시간관리 방법 역시 고도로 정교해졌습니다. 시간표를 수립하고, 공부와 운동을 할 시간을 배정해서 이를 실천했습니다.

이러한 장점들 때문에 샐러리맨 분들도 꼭 업무와 병행하여 개인적인 부동산 투자 공부와 실행을 하라고 권유하고 싶습니다. 초반에는 익숙하지 않아서 힘들지 모르겠으나, 시간이 지나고 성과가 나오기 시작하면 상호 간에 시너지가 나면서 회사 생활과 개인 생활 둘 다 급격히 업그레이드되는 것을 느낄 수 있을 것입니다.

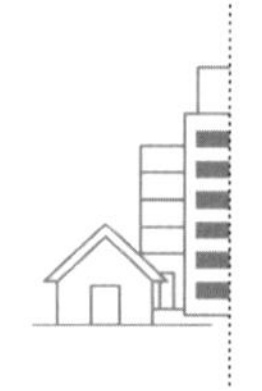

비전 6
30대 중반 직장여성의 강남 입성 스토리[46)]

저는 2015년에 결혼해서 신혼생활을 하고 있는 30대 중반의 직장여성입니다. 27살 때부터 32살 결혼할 때까지 직장생활하며 한 달에 40만 원씩 쓰면서 돈을 악착같이 모았습니다. 그리고 결혼하던 해에 1억 원을 조금 넘게 모아, 남편이 모은 돈을 보태 전세를 살았습니다. 부동산이 뭔지도… 내집이 왜 필요한지도 모르는 초보였습니다.

2015년 5월 결혼 당시…수중엔 축의금과 친인척분들이 가전제품이라도 사라며 주신 돈들을 모두 모으니 5천만 원의 돈이 있었습니다. 그렇게 1년이 지난 2016년 여름, 결혼 후 1년 넘게 돈을 더 모았으니, 수중에 1억 원 조금 넘는 돈이 생겼습니다.

그때는 심심하면 동네 구경할 겸 부동산을 둘러보는 정도였지만… 제가 살고 싶은 동네는 터무니없이 비싸고… 대출을 낸다 해도 아이가 태어난다면 평생을 갚아야 할 것 같았습니다.

그러던 중 흑석동이란 동네를 알게 되었는데, 비교적 신축아파트 30평대에… 7억 2천(급매) 매매가 전세가가 6억 원 든 물건이 있었답니다. 그때

46) 본 내용은 부동산 관련 유명 블로거이자 베스트셀러 '나는 오늘도 경제적 자유를 꿈꾼다(2018. 7., RHK)'의 저자인 청울림(유대열) 님의 네이버 블로그 '부자아빠 청울림의 인생공부' 중에서 한 독자분이 청울림 님께 보낸 편지 내용을 소개한 글 '결혼 3년만에 강남 입성 스토리(https://m.blog.naver.com/iles1026/221418109718)'를 옮긴 것입니다.

처음 전세를 끼고 사는 것이 무엇인지 알았고, 제 수중에 있는 1억 원 좀 넘는 돈으로 그 물건을 매수했습니다. 처음엔 제 주제에 7억 원이 넘는 집을 간 크게 지른 건 아닌지… 이제 어쩌나... 하는 두려움으로 잠을 설치기도 했습니다.

그게 저의 첫 집 매수였습니다. 그 후로 그 집에 실입주 해서 살겠다는 일념으로 다시 1년을 엄청나게 줄이고 아껴 돈을 모았습니다. 그리고 신혼집 2년 계약이 끝나고 몇 달 후 2017년 여름…저는 그 집으로 이사를 갔습니다. 대출 2억 원가량이 필요했지만 신용대출이나 친척분에게 빌려 그 돈을 채워 넣었습니다.

그렇게 살다 보니…몇 개월 지나지 않아.. 그 집의 전세가가 7억 2천~5천 정도 된다는 소문이 들리고 이곳저곳에서 집을 팔라는 전화도 받았습니다. 저는 신기했습니다. 불과 매수한지 2년 채 되지 않아 제가 매수한 금액이 전세가가 되었으니까요.

저는 그 순간 하나의 아이디어가 떠올랐습니다… 우리집을 전세 내어 주고 전세금을 받은 뒤 그걸로 강남에 소형아파트를 전세 끼고 매수하고.. 나는 경기도 지역에서 실거주 하는건 어떨까? 그리고 1가구 2주택 양도세 면제를 활용해 흑석동은 적당한 시기를 봐서 파는 건 어떨까...

저는 4억 1천만 원으로 역삼동 소형 아파트를 매수했고 남은 돈으로 경기도에 전세로 거주 중입니다. 남편과 저 모두 처음엔 아쉬웠습니다. 지하주차장 연결되는 편안한 30평대 내 집에서 실거주 할 수 있는데 , 굳이 경기도에 소형 평수 복도식 낡은 아파트에 살자니 우울감이 밀려왔죠. 그래도 우리는 더 큰 미래를 위해 현재를 좀 양보한다 생각하고 참았습니다.

그리고 2018년 몇 달 전 처음 산 아파트를 2년 보유기간을 채우고 매도했습니다. 매도 금액은 12억 3천만 원이었습니다. 2년 만에 5억 원 정도의 시세차익이 생겼습니다. 일시적 2가구 혜택으로…매매가가 예상외로 오르는 바람에…1년 뒤 역삼동 집으로 거의 무대출로 입주 가능하게 되었습니다.

멋모르고 시작한 매수였지만…저는 강남에 내 집이 생겼다는 이유만으로 설레고 좋았습니다. 부동산으로 차익을 보니 더욱더 관심이 가져지고… 각 동네 시세를 매일 습관처럼 파악했습니다. 그렇지만 곧 제 능력의 한계를 느꼈습니다. 저는 그저 실 거주할 아파트를 좋은 시기에 사서 운 좋게 상승기를 탄 것 외에 실질적으로 제 실력으로 뭔가 분석하고 이뤄낸 게 아니었기 때문입니다.

그런 생각이 들자 자신감이 없어지고 리스크를 더는 감수하기 싫고 이쯤에서 만족해야겠다는 생각이 들었습니다. 더 솔직히 말하면 더는 뭘 어떻게 해야할지 몰라 멈추고 싶었던건지도 모릅니다. 하지만 선생님의 책을 읽고 다시금 용기가 생겼습니다. 집값이 왜 오르내리는지…어떻게 분석해야 하는지…어떤 지역을 사야 하는지…선생님의 책 속에 그 노하우가 다 들어있었습니다.

마치 선생님의 긴 세월과 노고를 저는 책 한 권으로 얻는 것 같아 송구스럽기까지 했습니다.

요즘도 경기도에서 직장으로 출퇴근하는 길에 늘 1시간씩 선생님 책을 정독합니다… 읽고 또 읽습니다. 경매와 상가를 공부해 봐야겠다는 생각도 절실히 들었습니다. 그리고 비수기에도 끊임없이 시장을 파악해야겠다는 생각이 들었습니다.

감사합니다. 이 말씀을 꼭 전해드리고 싶었습니다. 저에게 한 단계 도약을 하도록 동기부여 해주셔서 정말 감사합니다. 앞으로도 많은 고민과 역경이 있겠지만, 튼튼한 지식과 근검절약을 통한 자본축적으로 성공적인 투자자가 되고 싶습니다.

굳이 직접 받은 편지도 아닌 글을 이렇게 끌어다 쓴 이유는, 이 편지를 보낸 분의 경험담을 보고 전율이 일 정도로 필자의 경우와 너무나도 흡사했기 때문입니다.

- 직장 생활을 하면서 악착같이 1억 원을 모아 부동산 투자자금으로 시작한 점

  (저는 결혼 생활을 하면서 초창기 10년간은 신혼여행을 포함하여 가족 해외여행을 한 번도 간 적이 없습니다. 10년이 지난 이후에야 1년에 1번씩 해외여행을 가고 있습니다. 직장에서 어느 정도 자리잡은 현재도 매월 2만 원대의 핸드폰 요금을 내는 등 매사에 절약하는 것이 습관화되어 있습니다. 새 핸드폰을 살 때는 통상 기곗값에 대한 할부 이자율이 5%이기 때문에 기곗값은 일시불로 전부 지급하고 할부 이자를 내지 않으며, 일상적인 카톡에 지장이 없는 최소 스펙의 월정액 요금만 지출합니다.)

- 처음에는 강남에 직접 진입하지 못하고 강남 주변에서 가장 가까운 동네에서 매수를 시작한 점(필자도 사당동에서 첫 부동산 투자를 시작했습니다.)

- 일시적 1가구 2주택에 대한 양도세 면세 혜택을 최대한 이용한 점

- 전세를 끼고 최대한의 대출을 일으켜 강남 아파트를 매수한 점

- 어느 정도 재산이 모였는데도 불구하고 본인 소유의 아파트에 입주하지 않고, 미래를 위해 희생하며 외곽에서 전세 생활을 한 점

여러분들은 어떻게 느꼈는지요. 필자는 이분의 이야기를 보면서 그동안 참 고생이 많았구나, 그리고 그 고생을 비전과 희망으로 바꾸었으니 앞으로도 항상 희망과 행복이 가득하기를 진심으로 응원했습니다.

이번 장을 마무리하며 또 필자 나름대로 생각해 본 몇 가지 조언을 해보고자 합니다.

① 한 곳에 집착하지 말고 부동산을 자주 사고팔아 봐야 합니다

대체로 집을 자주 사고판 사람은 부동산을 평가하는 안목, 전세 회전율을 높이는 방법, 적절한 매수 · 매도시기 포착, 자금조달 방법 등 다양한 경험을 쌓게 되고, 특정 지역에 얽매이거나 하지 않고 부자가 되기 위한 오픈 마인드를 형성하기 쉽습니다.

② 양도세 면세 요건인 2년 거주 요건을 갖추면 매도와 교체매수에 대해 늘 생각하고 준비해 볼 필요가 있습니다

부동산 시장은 계속 변화하고, 기회는 계속 있습니다.

③ 강남 아파트의 최대 핵심 지역은 삼성동이며, 압구정동—삼성동—압구정동—대치동을 연결하는 수직 라인이 중심

이 수직 라인을 중심으로 각 지역의 차별화 · 서열화가 이루어지는 것이 오늘날 한국의 냉엄한 현실입니다. 이 수직 라인에 최대한 빨리 편입되는 방법을 연구하면 손실은 적고 수익성은 높은 기회에 올라탈 수 있습니다.

④ 워라밸? 소확행? YOLO? 생산자, 투자자로서도 병행 가능

워라밸? 소확행? YOLO? 최근 몇 년간 유행하는 말들입니다. 소위 말해서 조금이라도 젊을 때 쓰면서 즐기자는 주의입니다.

그런 분들의 생각도 받아들이려고 합니다만, 저는 즐길 것 즐기면서도 부동산 투자자로서의 생활도 병행이 가능하다고 생각합니다. 요즘 아무리 해외여행이 싸졌다고 해도 비행기, 숙박, 현지 이동비 등이 만만치 않습니다. 그 돈의 20~30%면 속초, 여수, 통영, 부산 등 국내의 좋은 여행지를 충분히 다녀올 수 있습니다. 국내의 여행지를 전부 다녀보지도 못했으면서 굳이 해외에 먼저 나갈 필요가 있는지 의문입니다.

저는 국내 여행지를 다니면서도 그 지역이 좋아 보이고 잠시의 여유가 생기면 해당 지역 부동산에 잠깐씩 들리고는 합니다. 현지 부동산에 외지인이 찾아갔을 때 푸대접하는 부동산은 거의 없습니다. 대부분 어디서나 친절하게 커피 내주면서, 좋은 식당과 관광지도 소개해주고, 그 지역의 부동산 전망에 대해 무료로 알려줍니다. 이런 좋은 투자 관광 기회가 어디에 있겠습니까.

바닷가 근처에 모델하우스가 생기면 일부러 주말에 그 지역을 찾아가 보기도 합니다. 자연의 풍광을 느끼며 바람도 쐬고, 싸고 맛있는 해산물도 먹고, 모델하우스에서 여러 가지 기념품을 받아오기도 합니다. 그런 재미도 꽤 쏠쏠합니다.

한 번 사는 인생이라 즐길 수 있을 때 즐겨야 한다는 것이 소위 'YOLO'이지만, 노후를 생각해보면 늙어서 건강하게 어느 정도 풍족한 재산을 갖고 사는 것은 어떨까요. 그리고 젊어서 맛있는 것을 먹고 유명 여행지를 가면서 휴식을 취하고 즐기는 것도 인생의 한 방법이겠지만, 젊어서 체력이 있을 때 좀 더 아끼고, 걸어다니고, 좋은 책을 읽고, 좋은 강의를 들으러 다니면서 즐기는 것도 인생을 보내는 좋은 방법이 아닐까요.

그런 과정들이 반드시 고생만 요구하는 것도 아니고, 마음먹기에 따라서는 즐기면서 절약하고 공부하고 투자할 수도 있다고 생각합니다.

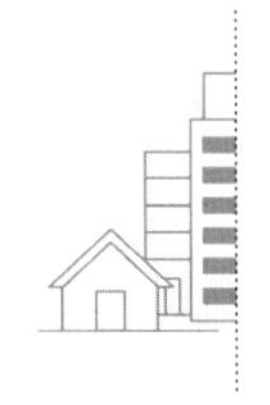

비전 7
전략적인 부동산 투자를 위해 갖춰야 할 준비

① 선견지명(先見之明 X, 先見地明 O)을 길러라

선견지명(先見之明)이라는 4자성어의 뜻은 원래 '닥쳐올 일을 미리 짐작하는 밝은 지혜'로 되어 있습니다. 필자는 이를 **'닥쳐올 부동산(땅의) 상황을 미리 짐작하는 밝은 지혜'** 내지는 **'발품을 팔아 먼저 부동산(땅)을 살펴보고 지혜를 키우는 자세'**의 이중적인 뜻을 가진 **'선견지명(先見地明)'**으로 살짝 바꿔서 적용하면 좋겠다는 생각입니다.

토지는 영원한 것 같지만, 그 토지 위에 사는 사람들이나 건축물들은 계속 변화합니다. 그 계속되는 변화를 머릿속에서 미리 짐작해 보고, 본인이 직접 일일이 발로 뛰고 눈으로 살피고 귀로 듣는 과정을 통해 변화에 대한 확신을 갖는 자세가 필요할 것입니다.

② 부동산/재테크 100권을 읽고 요약하라(10권은 입문, 100권은 초단, 300권은 사범)

요즘과 같은 정보화 세상에는 좋은 정보들이 넘쳐납니다. 무료 인터넷 강의나 블로그, 유튜브들이 서로의 지식과 혜안을 제시하며 사람들의 시선을 끌기 위해 노력합니다. 그런 매체를 통해 배우는 것들도 많겠지만, 필자는 가급적 전통적인 방식, '독서'를 통한 지식 습득을 권유하고 싶습니다.

갈수록 책을 안 보는 시대에 수많은 경쟁 서적과 인터넷 매체들이 치열하게 경쟁하고 있는 부동산이나 재테크에 관한 주제로 나온 책이라는 것은 누군가 전문가의 검증을 받고 수익성이 있겠다는 판단에 의해 등장했다는 뜻입니다. 시중에서 잘 팔린다는 소위 '베스트셀러' 7~8권과 제목과 내용이 특이한 책 2~3권을 읽으며 주요 내용을 글로 요약해보세요. 그러면 당신은 이제 어떤 책이 좋은지 혹은 나쁜지를 분간할 수 있는 입문 단계를 통과한 것입니다. 100권 정도는 읽어야 비로소 실전에 나갈 수 있습니다.

여담입니다만, 저는 '정보의 자유화'가 '신분 제도의 해방'을 낳았다고 믿습니다. 책이나 인터넷이 없던 옛날에는 입에서 입으로 전해지는 구전 정보가 최고의 고급 정보였습니다. 집안에 보관한 책이 많아야만 그 집안 사람들은 고급 정보를 처리할 수 있는 능력을 갖추고 적절한 문장력을 발휘해야 되는 고위직에 올라갈 수 있는 가능성이 컸습니다. 또한 집안 내에서 처세술이나 프레젠테이션 능력이나 궁중 교양을 배운 사람이라야만, 임금이나 귀족들을 만나서도 당황하지 않고 그들의 눈높이에 맞는 행동을 보이고 고위직에 발탁될 기회가 있었던 것입니다.

조선 성종 시대만 해도 '대학'이나 '중용' 같이 유교 공부에 꼭 필요한 책값이 대략 쌀 2~3가마니였다고 합니다. 옛날보다 쌀값이 훨씬 싸진 지금의 시세로 따져도 대략 12~18만 원쯤 하는 큰 돈입니다. 조선 시대에는 쌀의 가치가 적어도 지금의 몇 배, 몇 십 배에 달했을 것입니다. 심지어 종이가 발명되기 전에는 비단이나 무명 천, 대나무 죽간, 동물 가죽 등에 책 내용을 기록했기 때문에 책 몇 권의 가치는 현재로 치면 수천만 원~수억 원에 달하는 귀중품이었습니다. 서양의 중세 시대에서도 양피지로 만든 책 한 권을 위해서는 1백 마리의 소나 양 가죽이 필요했고, 성경책 1권의 가격이 포도농장 1채와 맞먹었다는 기록들이 있습니다.

오늘날 우리는 예전에 이렇게 귀중했던 책들을 불과 1~2만 원, 한두 끼의 저렴한 식사 가격에 구할 수 있는 것입니다. 한 인간의 지혜와 노하우가 담긴 이런 책들을 싸게 많이 볼 수 있다는 점은 옛날에 비해서 얼마나 큰 혜택인가요. 실로 가성비 측면에서 최고의 투자가 아닐 수 없습니다.

③ 부동산/재테크 마케팅에 속지 마라

앞서 설명한 내용에서 이어지는 주의사항입니다. 최근 수많은 부동산, 재테크 관련 사이트와 유튜브, 서적들이 넘쳐나고 있습니다. 그런데 이들 중에는 얄팍한 지식으로 사람들을 현혹시키고, 결과적으로 자신의 수익만을 추구하는 경우도 종종 있습니다. 이는 유명한 금융기관들의 경우도 마찬가지입니다.

최근 심각한 문제를 야기한 해외 부동산 펀드나 L모자산운용의 사례에서도 잘 알 수 있습니다. 마케팅을 비롯한 유통 비용은 대부분의 제품이나 서비스의 경우 매출액의 30~50% 수준에 달합니다만, 그 정도로 막대한 비용을 투입하면서 사람들의 시선을 끌기 위해 노력하는 이유는 투입 비용 이상의 수익을 기대하기 때문입니다.

펀드, 보험, 부동산 분양 등 대부분의 재테크 상품이라고 하는 것은 이미 상당액의 마케팅 비용이 포함되어 있다는 것을 항상 유념하고 달콤한 말에 속지 말아야 할 것입니다.

④ 투자, 공부, 건강관리의 시뮬레이션과 루틴을 개발

필자의 경험입니다만, 투자, 공부, 건강관리는 실제로 서로 긴밀하게 얽혀 있습니다. 투자를 잘 하려면 배경 지식과 미래 예측을 위한 공부가 필요하고, 공부를 하려면 아무래도 기본 체력이 받쳐줘야 됩니다. 또한 체력이 받쳐줘야 투자 검토를 위한 현장 방문을 활발하게 다닐 수 있습니다. 즐거운 마음으로 현장 방문을 다니다 보면 체력도 좋아집니다. 부동산을 둘러보고 계단을 오르락내리락 하다보면 따로 운동을 하거나 등산을 다닐 필요가 없습니다.

요컨대 이 3가지는 결코 따로따로 생각하고 실천할 사항이 아니기 때문에 아예 매일매일의 일정시간을 적절히 나누어 배정하고, 그렇게 정한 시간표를 지키는 생활을 하는 것을 추천드립니다. 그러기 위해서는 특정 루틴을 정하는 것이 바람직합니다. 1~2시간 공부를 하고 나면 팔굽혀펴기와 스쿼트를 10~20분간 한다든지, 1달에 1번쯤 주말에 시간을 내서 모델하우스 방문이나 현지 부동산 방문을 걸어서 실행한다든지 하는 방법이 있습니다.

⑤ 행동은 먼저, 생각은 나중에(실천하지 않고 생각만 하면 수익은 없다)

전략적인 부동산 투자를 실행하기 위한 준비의 마지막 항목은, 바로 위에 제시한 ①~④번 항목을 책상 앞에 적어두고 당장 실천하는 것입니다.

필자가 만나본 부자들이나 성공한 사람들의 가장 큰 특징이자 공통적인 특징은 주위에서 본인이 몰랐던 좋은 얘기나 조언을 들으면 두말 않고 그것을 바로 실행에 옮기는 것이었습니다. 그런 분들은 다들 놀라울 정도의 행동력을 갖고 있었으며, 어느 분야의 어느 전문가가 뛰어나다는 말을 들으면 곧바로 연락처를 저장하고 예약하는 모습을 자주 볼 수 있었습니다. 이미 마음속에는 '나보다 뛰어난 것을 만나면 바로 받아들여야지'하는 준비가 되어 있는 것입니다.

곧바로 행동하려는 마음가짐이 평소의 습관을 바꾸고, 습관이 거듭되다 보면 사람의 체질을 바꾸게 되고, 체질이 바뀌면 인생이 바뀝니다.

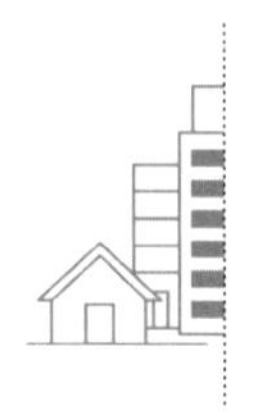

비전 8
부동산 관련 무료 자료 사이트 및 블로그 탐독

부동산 투자에 대해 자신만의 비전을 갖추기 위해서 당장 손쉽게 할 수 있는 방법 중 하나는 바로 부동산 관련 무료 자료를 제공하는 사이트와 블로그들을 탐독하는 것입니다. 필자가 추천하는 사이트, 블로그들을 아래에 몇 개 나열해 보았습니다.

주택금융연구원(www.hf.go.kr): 국내 주택시장의 시장환경 분석 자료 발간

KB금융지주 경영연구소(www.kbfg.com)

이상우 애널리스트 블로그 "작은배려"

(https://m.blog.naver.com/tinycare)

유진투자증권의 건설 및 부동산 애널리스트로 명성을 떨치던 이상우 애널리스트의 개인 블로그

[기타 참고 추천 사이트]

- 부자아빠 청울림의 인생공부(유대열 님): https://blog.naver.com/iles1026
- 부동산의 부동산스터디(강영훈 님): https://blog.naver.com/asclepina
- 빠숑의 세상 답사기(김학렬 님): https://blog.naver.com/ppassong
- 시장을 보는 눈(홍춘욱 님): https://blog.naver.com/hong8706

모두들 감사한 분들과 귀중한 사이트들입니다.

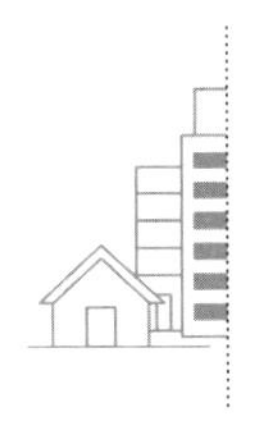

비전 9
부동산/재테크 추천도서 10선
(최소한 이 정도는 읽고 투자하십시오)

아래에는 독자 여러분들이 부동산 및 재테크에 대한 비전을 수립하고 실제 투자에 나설 때 기본적인 여행 안내서가 되어줄 수 있으리라 생각되는 책들을 10권만 골라서 추천해 드립니다.

오로지 필자 개인의 의견이므로 호불호가 있을 수 있겠으니, 마음에 안 들거나 이미 읽은 책이 있다면 얼마든지 리스트를 다른 책으로 바꾸어도 좋습니다.

필자의 의도는 요컨대 부동산 및 재테크에 관한 이 세상의 다양한 의견을 종합하여 본인만의 인사이트를 길러 보라는 뜻입니다.

	책이름(저자)	출간연도, 출판사	1줄 추천 내용
1	부의 추월차선 (엠제이 드마코)	2013, 토트	돈을 벌기 위해 일하지 말고 돈이 일하게 하라
2	앞으로 10년, 대한민국 부동산(김장섭)	2019, 트러스트북스	가장 최근의 정부정책을 반영한 부동산 전망 제시 (서울 2호선 중심)
3	나는 오늘도 경제적 자유를 꿈꾼다(유대열)	2018, RHK	삼성생명을 그만두고 부동산 전업투자자로 나선 저자의 생생한 경험담과 삶의 자세
4	돈이 없을수록 서울의 아파트를 사라(김민규)	2017, 위즈덤하우스	서울 시내 20평, 30평대 아파트 추천 지역 구체적 소개
5	박원갑의 부동산 투자원칙 (박원갑)	2017, 한국경제	아파트는 11월에 사고 2월에 팔아야 한다는 등의 실전 전략 다수
6	다시 부동산을 생각한다 –부동산 규제 시대, 세그먼트가 답이다(채상욱)	2019, 라이프런	부동산 규제 시대에 새로 변화하는 시장에 적응하기 위해 바뀌어야 할 투자 전략 제시
7	대한민국 부동산 사용설명서(김학렬)	2020, 에프엔미디어	대한민국 부동산의 현황을 6가지 요소(시장, 수요, 가격, 상품, 입지, 정책)로 나누어 설명
8	지성의 돈되는 부동산 1인 법인(지성)	2019, 잇콘	부동산 1인 법인 설립과 관련한 장단점, 실무상의 유의점과 노하우 등을 소개
9	부동산 상식 사전(백영록)	2019, 길벗	아파트, 전세계약, 상가, 토지, 경매 등 다양한 부동산 거래시 유의사항과 관련한 기초 지식 습득
10	2020 세금 완전정복 (저자 다수)	2019, 어바웃어북	부동산 관련 세금 내용 및 절세전략, 실제 사례 다수 수록

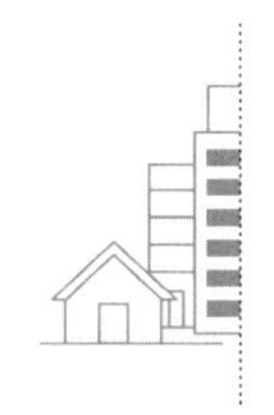

비전 10
잘못된 Vision의 실제 사례

만약 잘못된 비전을 가지고 부동산 투자에 임하면 어떤 일이 벌어질까요? 예를 들어 보겠습니다. 지난 2008년 10월에 출간된 선대인, 심영철 공저 「부동산 대폭락 시대가 온다–대한민국 경제 대전망」이라는 책에서 저자들은 "세계경제의 동조화 현상, 주택의 공급과잉, 낮은 기대수익률, 투기심리 위축, 가계의 3중고, 금리 상승, 그리고 뉴타운 및 신도시 공급 쇼크, 인구구조의 변화 등 피할 수 없는 현실이 대한민국의 경제를 뒤흔들고 있다"며 부동산 거품 파열을 기정사실로 제시했습니다.

그리고 2003년 카드채 거품과 향후 터질 부동산 거품을 비교하며 "부동산 거품 붕괴는 카드채 거품보다 몇 배나 더 큰 충격을 한국 경제에 가할 공산이 크다"며 "카드채 거품은 저소득층의 문제였지만, 부동산 거품에는 중상류층까지 대거 가담했다. 따라서 거품이 꺼질 때는 과다한 빚을 졌던 상당수 중산층이 몰락할 것"이라며 '중산층 붕괴'를 단언했으며, "이제는 부동산을 떠나야 한다. 하루라도 빨리 떠나야 한다. 부동산에 대한 시각을 교정해야 한다"며 "부동산은 대박이 아니라 쪽박이며, 돈덩이가 아니라 빚덩이로 바뀐다. 거품 붕괴가 아니라 조정기라는 사기꾼들에게 속는 사람은 피박을 쓰게 될 것"이라며, 현재 자산의 83%를 차지하는 부동산 비중을 50% 이하로 낮출 것을 조언했었습니다.

당시 이 책은 상당한 입소문을 타고 베스트셀러에 오르기도 했으며, 이 책을 읽고 상당수의 사람들이 그 내용에 공감하며 부동산 투자에 대해 거부감을 갖고 실행에 나서지 않고, 심지어는 기존의 보유주택을 매각하고 현금화에 나선 사람들도 꽤나 있었습니다.

필자는 이 책의 내용이나 그 내용을 철썩같이 믿은 사람들의 결과에 대해 굳이 길게 말하고 싶지는 않습니다. 다만, 전략적이고 경제적이고 현실적인 근거 없이 2000년대 초반 국내의 카드대출 과잉 사태, 일본의 부동산 거품, 미국의 주택대출 파생상품의 몰락 등 몇 가지 대내외 요인을 기초로 한 '상상' 속에서 소위 '서울시 전 정책전문관과 국내 최고의 금융 전문가'가 '부동산 대폭락'을 예언하며 '적극적인 부동산 매도'에 나서라고 했고, 이를 많은 사람들이 믿고 실제로 실행에 옮겼던 구체적인 사례가 있었음을 잘 기억하고, 향후 코로나 사태 이후의 부동산 투자와 관련한 개개인의 비전을 갖추는데 참고하였으면 좋겠다는 마음입니다.

코로나 이후 비전 - Coronacus' Vision

Value Proposition Shift	• 편의성과 스피드만 추구하던 라이프스타일 변화 • 다소 바싸더라도 적정 가치에 대한 지불의사 증가 • 직주 접근성(직장~주택 간 이동거리) 및 IT 인프라 중요성 더욱 증가 • 어설픈 위치에 자리잡은 나홀로 아파트의 가치 절하 가능
Health-First Untact Closed & Privacy	• 건강 최우선, 복도식 아파트 및 엘리베이터 기피, 대중교통 기피 • 자전거, 전동킥보드, 배달 및 렌털서비스 이용 증가 • 자급자족단지 및 개별 타운하우스 선호도, 지하주차장 선호도 상승 • 커뮤니티 센터에 대한 선호도는 이용객 안정성 확보를 전제로 상승 가능
단기적 Risk ↑ 중장기적으로는 경제성장률에 수렴	• 과거 경제위기 시 6개월~1년간 하락세 지속 및 Risk 증가 • 그러나, 중장기적으로는 결국 경제성장률 회복세에 수렴할 것으로 예상 • 공격적인 투자보다는 바닥을 확인하고 안전하게 행동하는 것이 최우선

코로나 이후에 부동산 시장이 어떻게 변화해 갈 것인지, 그 변화에 대응하는 비전은 어떻게 준비하면 좋을지 정리해 보았습니다.

코로나 이후에는 부동산을 통한 가치 제안의 순위가 바뀔 것으로 보입니다. 편의성과 스피드를 극도로 추구하던 현대인의 라이프스타일에 대한 근본적인 의문이 제기될 것으로 보입니다.

- 직주접근성(직장~주택 간 이동거리)
- 학주접근성(이하로는 필자가 지어낸 말입니다만…학교 및 학원~주택 간 이동거리입니다)
- 상주접근성(상가~주택 간 이동거리)
- 배주접근성(배달~주택 간) 등

생활에 꼭 필요한 필수 이동거리를 최소화하여 대중교통 없이 다니는 것을 선호하는 경향이 강해질 것입니다.

다음으로 건강 우선, 비접촉, 폐쇄성과 개인 생활에 대해 중시하는 경향이 떠오를 것으로 보입니다.

마지막으로는 단기적 리스크는 증가하겠지만, 결국 중장기적으로는 다시 해당 국가의 경제성장률에 수렴하는 정도로 부동산 시장은 회복되리라 예상합니다. 물론 그 와중에 위에서 얘기한 요인으로 인한 변동성 심화, 양극화 심화는 필연적일 것입니다.

부동산 투자가 아직도 유효한가요? 어떤 부동산을 투자해야 하나요?

필자는 주위에서 종종 '코로나 사태와 현 정부의 규제 정책하에서 부동산 투자가 아직도 유효한지(즉, 부동산 투자는 아직도 적정 수익률 이상을 올릴 수 있는지)', 그리고 그 다음으로는 '어떤 부동산을 투자해야 하는지(또는 좋은지)'에 대한 질문을 제일 많이 받습니다.

이에 대한 필자의 대답은 **"그냥 평범한 '부동산'에 투자하는 시대는 끝났습니다"**라는 답변을 먼저 하곤 합니다. 그리고 미래에는 다음 3가지 항목에 부합하는 '부동산 투자'의 시대가 존재한다고 대답합니다.

첫째, **'더 좋은' 부동산 투자**
둘째, **'더 새로운' 부동산 투자**
셋째, **'더 잘 아는' 부동산 투자**

그럼 첫 번째로 '더 좋은' 부동산이란 어떤 부동산이며, 어떻게 '더 좋은지'를 판단할 수 있을까요? 필자는 이를 간단히 판단할 수 있는 방법이 있다고 제시합니다. 그것은 바로 그 부동산에 주로 투자하는 투자자, 이용하는 이용자, 거주하는 거주자의 평균 소득으로 알 수 있다는 것입니다. 어떤 지역의 부동산을 소유하고 이용하고 거주하려는 사람들의 평균 소득이 올라가는 추세에 있다면 그 부동산은 '더 좋은' 부동산이며, 그 반대라면 '더 나쁜' 부동산이라는 뜻입니다.

다음으로 '더 새로운' 부동산이란 무엇일까요. 이 역시 간단히 판단할 수 있습니다. 해당 부동산 주변에 타워크레인이나 포크레인이 많이 보이면 더 새로운 부동산이 되어간다는 증거입니다. 정부나 지자체의 개발 계획이 수립되어 있으면 좀 더 확실하고, 대기업의 투자 계획이 있다면 그것은 가장 확실합니다. 아무튼 주변에 인프라 투자 계획이 있거나, 유명 프랜차이즈 등 랜드마크 시설이 신설된다면 부동산이 새로워지고 있다는 신호등인 것입니다.

끝으로 '더 잘 아는' 부동산이란 정보의 수집과 해석 능력을 말합니다. 해당 부동산이 어떻게 발전하거나 혹은 쇠퇴할 것인지를 알아보는 눈을 키워야 합니다. 이를 위해서는 거시경제의 흐름과 인구통계학적 변화, 정부와 지자체의 정책 변화와 같은 **거시적인(Macro) 정보**를 두루 수집하고 저장해놓아야 합니다. 또한 해당 부동산의 수요-공급의 변화, 교통 시설과 편의시설의 변화, 거주자들의 변화와 이동 동선의 변화와 같은 **미시적인(Micro) 정보**도 종합하여야 합니다. 이러한 정보를 바탕으로 숨은 가치와 발전가능성을 파악하는 능력을 갖춰야 한다는 뜻입니다. 마치 인공위성에서 **망원경**으로 바라보는 관점처럼 큰 틀에서 전체 형태를 이해하고, **현미경**을 들고 도로 상태나 벽틈의 균열까지 세세하게 확인하듯이 심층적으로, 여러 단면이 누적된 형태로 부동산을 바라보는 눈을 키운다면 지식의 폭과 깊이가 훨씬 강화되며 해당 부동산 투자에서 성공할 가능성이 높아질 것입니다.

여기까지가 '전략적인 부동산 투자'를 주제로 필자가 이야기하고 싶었던 내용입니다.

끝까지 읽어 주셔서 대단히 감사합니다.

앞으로 부동산 투자에서 새로운 혜안을 키우시고 늘 건승하시기 바랍니다.

윤승호

서울 소재 4년제 대학교의 경영학과 졸업이 학위의 전부인 평범한 흙수저 출신으로 신규 투자와 기업 인수합병(M&A) 분야의 전문가로 활동하고 있다.

부동산 투자에 전혀 도움을 줄 수 없던 집안 사정으로 인해 일찍부터 재테크와 부동산 투자에 관심을 기울이게 되어 회사원 생활 5년차인 2002년, 32세 때 5년간의 월급을 아껴 모은 돈 1억 원으로 부동산 투자를 시작했다.

투자 18년차가 된 2020년 현재 강남구, 송파구에 아파트 1채씩을 갖게 되었고, 그 동안 자신이 쌓은 지식과 노하우를 전달하고 싶은 마음에 아직도 많이 부족하나마 과감히 서적 출판에 도전하게 되었다.